초등학교 교사가 들려주는

독도교육의 이론과 실제

강신훈 지음

─────── 이론과 실제 ───────

| 울릉도에 관한 이야기 | 독도에 관한 이야기 | 독도교육에 관한 이야기 |

저자 소개

근무 경력

2008~2011 : 경상북도 울진교육지원청 은정초등학교 발령
2012~2014 : 삼근초등학교 근무
2015~2016 : 울릉초등학교 근무
2017~2020 : 평해초등학교 근무
2021~   : 봉황초등학교 근무

주요 활동

2017~2020 : 경상북도 독도수호중점학교 운영주무
2017~2019 : 경상북도교육청 독도교육실천연구회 운영 주무
2017~2020 : 평해초 5-6학년 매년 울릉도·독도 체험학습 인솔
2017 : 독도교육실천연구회 최우수연구회 교육부장관 표창 수상
2019 : 교육부요청 경상북도지정 독도교육정책시범학교 운영주무
2017~2022 : 독도지킴이학교 운영주무
2019 : 독도교육유공자 교육부 장관 표창
2020~현재 : 경상북도교육연구원 독도 교재 집필위원
2020~현재 : 경상북도교육청사이버독도학교 개발 및 총괄관리
2020~현재 : 경상북도교육청 해양환경교과교육회 연구회장
2020~2020 경상북도청소년 독도 요트 탐방
2019~현재 : 독도·해양 교육 콘텐츠 YouTube 채널 운영
2022 : 해양 및 독도교육 유공 도지사 표창
2022 : 독도교육유공교원 경상북도교육감 표창

  2008년 부산교대를 졸업하고 경상북도 울진의 한 산골마을에 발령받았다. 2015년~2016년 울릉도의 한 초등학교에서 2년간 근무하는 것을 계기로 울릉도·독도와 인연을 맺었다.

  워낙 학생들과 어울리는 것을 좋아하고 활동적인 성격에, 울릉초 학생들을 지도하여 경상북도스포츠클럽 '풋살'부분 3위, 대한민국 줄넘기대회 대상, 정보화연구대회 전국 1등급 등 교직에서 빛나는 영광을 울릉도의 초등학교 재직 시절에 보내었다. 2년간의 짧고 인상적인 울릉도 교직을 마치고 돌아온 그는 울릉도에서의 추억과 경험,

그리고 그가 받았던 울릉도에 대한 사랑을 보답하기 위해 시작된 독도 교육은 그의 교직 인생을 뒤바꿔 놓았다.

'전국 독도교육실천연구회 최우수 연구회 선정', '경상북도 독도수호 중점학교 4년 운영 주무', '독도교육정책시범학교 운영 주무', '경북교육청연구원 독도 교과서 집필', '경상북도교육청 사이버독도학교 구축 및 관리위원' 및 다수의 지역교육청에서 교사 독도 연수 강사까지....

그간의 독도에 관한 모든 활동들을 기록하고 정리하기 위해 이 책을 쓰게 되었다. 아무쪼록 이 책의 내용들이 현장에서 학생들을 가르치는 선생님들에게 조금이나마 도움이 되길 기대해 보며... 독도에 관해 듣고, 배우고, 지도한 모든 Know-How를 전해 보려 한다.

🌑 프롤로그

"우리 아이들의 독도 교육을 가장 잘 할 수 있는 사람은 누구일까?"
독도 연구소 박사님? 해양을 전공한 해양 박사님?

정답은 바로 '우리반 선생님' 이다.

독도교육 초창기에 독도에 대해 아는 것이 많지 않았다. 하여 많은
전문가들을 학교에 초대하여 학생 교육을 부탁드렸다. 그분들은 독
도에 대한 해박한 지식은 있지만, 학생들과의 레포 형성, 수준에 맞
는 교육법 등에 있어서는 담임 선생님을 따라 올 수가 없다.

선생님들은 교육대학교 및 각종 연수등을 통해 교과지식(Contents
Knowledge)과 교육학 지식
(가르치는 방법, Pedagogy Knowledge)을 전문적으로 습득한 사람
이다. 학생들을 가르치는 방법에서는 담임 선생님이 최고의 전문가
이다. 그런 그들이 독도교육을 어려워 하는 이유는 독도에 대한 교
과 지식을 배운 적이 없기 때문이다.

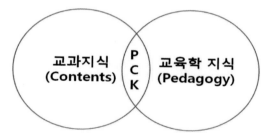

이 책의 내용(Contents Knowledge + Pedagogy Knowledge)이
일선에서 학생들 교육에 매진하시는 선생님들의 독도 교육에 미약하
나마 도움이 되었으면 한다.

목 차

Ⅰ. 독도교육의 이론

1. 울릉도에 대한 이야기

부산에서 태어나 부산교대를 졸업하여 부산 이외의 곳은 경험해 본 적이 거의 없이 울릉초로 발령이 나서 울릉도에 대해 아는 것이 전혀 없었다. 백암온천의 온정초, 불영계곡으로 유명한 삼근초 등 시골 골짜기 학교만 경험하였기에 울릉도에 대해 몇 가지 선입견을 가지고 울릉도에 입도하게 된다. 울릉도 입도전 가지고 있던 3가지의 선입견은 입도 후 오래지 않아 완벽하게 사라지게 된다.

⬤ 선입견 1 : ♬ 시골버스 달려간다~~

예상했던 울릉도의 모습   배에서 내려서 본 울릉도의 모습

울릉도에 대한 첫 번째 선입견은 울릉도는 박상철 가수가 부르는 '♬빵 빵♬'의 가사와 같은 시골 오지 마을이 아닐까 하는 것이었다. 하지만 2월의 거센 파도를 헤치며 도착한 울릉도의 도동항은 그런 선입견을 완전히 완전히 깨버렸다. 울릉도를 상상 속의 시골 마을이 전혀 아니었다. 그래서 울릉도의 현황에 대해 알아보았다.

울릉도는 약 220만년 ~ 450만년전 생성된 화산섬으로 2019년 약 44.5km의 섬 외곽 일주도로가 완공된 조그만(?) 섬으로 23년 8월 기준 약 9100명의 군민이 거주하고 있으며 울릉도의 인구 약 70%가 울릉읍(도동, 저동)에 거주하고 있다.

학교의 현황을 살펴보면 초등학교 4교(울릉초, 저동초, 남양초, 천부초), 중학교는 2020년 4교의 중학교가 현 기숙형 거점 중학교인 울릉중학교로 통폐합되었다. 고등학교는 울릉고등학교 1개교가 있으며 학생수는 초등학생 250여명, 중학생 110여명, 고등학생 80여명이 재학중에 있다.

이런 울릉도는 최근 일본의 독도 망언 및 독도에 대한 관심 증가로 2022년 기준 약 46만명의 관광객이 찾는 엄청난 변화가였다. 울릉도는 시골 오지 마을일꺼라는 생각은 필자가 가진 편견이었다.

● 선입견 2 : 울릉도는 오징어지~ 오징어가 주 수입원이겠지?

동해상 오징어잡이 배의 집어등   오징어 건조 모습

울릉도 사람들은 무엇으로 생계를 꾸릴까? '오징어 잡이겠지? 대부분의 주민들은 오징어잡이가 생업일 거야.' 울릉도 입도 전 가졌던 두 번째 선입견이었다. 하지만 그런 그의 선입견도 오래가지 않아 편견임을 알게 되었다. 결론을 먼저 이야기하자면 울릉도 주민들의 소득 수준은 꽤 높은 편이다.

울릉도 오징어에 대해 잠시 소개하자면, 오징어는 어느 한 부위 버릴것이 없는 울릉도의 주요 수입원임은 틀림없다. 오징어 철이 되면 동해안을 환히 밝히는 집어등을 본 적이 있을 것이다. 우리나라 오징어는 오징어 개체 보호를 위해 낚시줄에 의해서만 잡을 수 있다고 한다.

이렇게 잡은 오징어는 저동항에서 분해 작업을 거쳐 몸통은 건조를 통해 우리가 먹는 오징어로, 분해된 내장은 울릉도의 대표적인 먹거리 '오징어 내장탕'으로, 나머지 부산물은 화장품 회사에서 수거하여 여성 화장품의 재료로 사용 된다고 한다.

그런데 이런 오징어가 최근 들어 수확량이 급감하며 '금징어'라 불릴 정도로 수확량이 현저히 떨어졌다고 한다. 대표적으로 3가지 이유 정도가 있는데, 그 첫 번째가 지구 온난화로 인한 수온의 상승으로 인한 오징어 어종의 북상, 두 번째는 오징어 수확철의 풍랑주의보 등에 의한 기상 악화로 조업 일수의 부족, 세 번째 이유가 중국 어선의 오징어 쌍끌이 조업에 의한 오징어 개체 싹쓸이를 들 수 가 있는데 그 이야기를 다음과 같다.

북한은 2004년 북·중 공동어로 협약을 체결하여 중국 어선의 북한 해역에서 어업 활동을 보장했다. 경제적인 이유로 북한의 바다를 중국에 판 것이다. 이후 중국 어선은 북한 해역의 어류를 싹쓸이 해 버렸다. 앞서 이야기 했듯이 우리나라 오징어는 개체 보호를 위해 낚시줄을 이용해 조업을 해야 하지만, 중국 어선은 우리나라가 정한 법을 따를 이유가 없으므로, 쌍끌이 조업 방식을 이용하여 동해에 있는 오징어를 싹쓸이 해 버린 것이다.

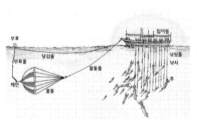 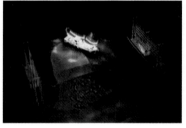

합법적인 오징어 잡이 모식도　　중국의 불법 쌍끌이 조업도

이런 중국 어선의 만행은 오징어 싹쓸이에서 그치지 않는다. 국제법상의 인도적 협약에 의해 풍랑주의보 등 파도가 거쎄면 인근의 섬으로 피항할 수 있다. 피항한 중국어선 수십척이 나타나면 울릉도 주민들은 공포와 불안감에 떠는데, 이들이 피항 기간 중 바다에

버리는 해양 쓰레기, 일부 어선들이 유출한 기름으로 인한 2차 피해까지 끼치고 있다. 이런 해양 쓰레기와 유출된 기름은 울릉도에 막대한 피해를 주는 한편, 해류를 타고 독도 앞바다에까지 중국발 해양쓰레기가 몰려들고 있다.

울릉도 근처로 피항 온 중국 어선   독도에 떠나니는 중국 쓰레기들

다시 울릉도 주민의 생업의 이야기로 돌아와서, 울릉군은 군단위 지방자치단체이기에, 군소재지에 있어야 할 관공서가 다 있다. 울릉군청, 군의회, 읍사무소, 독도관리사무소, 소방서, 경찰서 등의 관공서가 다 있기에 공무원 또한 많다.

실재로 도동읍에 위치한 울릉초에 근무할 당시 원어민 선생님이 학생들의 영어 인터뷰 지도 후 "Hey~~ 학생들 인터뷰 원고를 전부 카피해서 쓴 거 같다. 왜 부모님들 직업이 모두 공무원이냐?" 고 했을 정도로 공무원 비율이 높았다. 참고로 울릉도 공무원 시험에 응시하기 위해서는 주민등록상 울릉도에 3년 거주해야 한다.

또 다른 울릉도의 수입 중 대표적인 사례가 명이 나물(산마늘)이다. 매년 3월 말에서 4월 중순 사이 허가받은 주민들에게 일시적으로 채취가 허가된다. 이른 아침 빈 배낭 하나 메고, 본인만이 알고 있는 아지트(?)에 가서 명이를 가득 메고 내려오는 풍경을 볼 수 있다.

당일 채취한 명이나물을 인근 식품점에 가져다 주면 1kg당 약 2만 ~ 2만 5천원을 받을 수 있다. 하루 20kg만 채취해도 40~50만원의 부가 수입을 얻을 수 있다.

하지만 워낙 많은 사람들이 경쟁적으로 채취하기에 자연산 명이는 점차 자취를 감추기 시작하고, 그나마 남아있는 가파른 경사지, 절벽 등 위험한 곳까지 가는 사람이 많기에 매년 울릉도에서는 명이 채취로 인한 추락사로 사고가 한 두건 정도 일어나고 있다.

울릉도 개척 당시 먹을 것이 귀한 이른 봄, 허기진 배를 채우며 명(命)을 이었다 하여 '명이' 라고 불리었다 하나 이제는 그 명이 때문에 생명을 잃는 사고에 안타까울 따름이다.

🌑 여기서 잠깐 Quiz

Q: 최근 전국에서 명이가 재배되고 북한산, 중국산 명이까지 들어오고 있지만, 울릉도 명이는 육지에서 재배한 명이나물보다 잎이 크고 넓다. 그 이유는 무엇일까?

표 1. 산마늘과 울릉산마늘 차이

잎 크기 : 울릉산마늘 잎이 산마늘에 비해 크다		
산마늘	항목(cm)	울릉산마늘
8~12	잎 길이	10~30
3~9	잎 너비	3~10
2~10	잎자루(일명 줄기 길이)	4~15

출처 : 이동혁, 2016, 한국의 야생화 바로알기

A: 울릉도는 지역적 특성상 일조량이 육지에 비해 부족하다. 식물이 자라기 위해선 광합성이 필수이다. 일조량이 부족한 지역에서 생존해야 하는 울릉도 명이는 생존을 위해 잎이 크고 넓게 자생한다고 한다.

'울릉도 주민들의 생업은 오징어잡이 일 거야' 하는 선입견에 대한 설명이 많이 길어졌다. 물론 오징어 어업도 일부는 있지만 대부분 관광업, 공무원, 자영업 등을 하며 생업을 이어가는 것을 보고 두 번째 선입견 또한 잘못되었음이 판명 되었다.

⚫ 선입견 3: 울릉도 초등학생들은 코흘리는 시골 학생들일 거야...

울릉초등학교는 울릉도 안에서도 가장 인구 밀집도가 높은 도동의 한가운데 위치하고 있으며 약 100여명의 학생들이 밝고 건강한 에너지로 가득차 있었다. 주거지역과 상권이 밀집한 도동 시내 한가운데 위치한 울릉초등학교는 학부모님들의 학교에 대한 관심도도 매우 높았으며 학교 행사 등에 적극적으로 협조하는 등 개인적으로는 아주 만족스런 교직 생활을 하였다.

체육 지도를 담당했던 당시 학생들과 함께 열심히 어울리며 경상북도스포츠클럽 풋살 대회 3위(당시 울릉초를 이긴 옥계동부초는 전교생이 2천명 가량이었다고 한다.), 울릉도에서 인천까지, 대한민국의 동서를 가로지르면서까지 고생스럽게 참가한 대한민국 줄넘기대회 대상 등 잊지 못할 추억을 만들게 되었다.

울릉초에서의 멋진 학생들과의 생활과 추억은 울릉도 학생들에 대한 선입견 또한 편견이었음을 알게 되었다.

학교 스포츠클럽 풋살 도대회 3위 입상   전국 대한민국 줄넘기 대회 대상 입상

여기까지 울릉도에 대해 막연히 가졌던 선입견들이 편견으로 해소되면서 울릉도는 소득 수준도 꽤 높고, 사람들의 생활도 여유로움이 있어 보였다. 울릉도의 이러한 변화 원인으로는 두가지 요인이 있다.

🌑 울릉도 변화의 원인

1. 일본의 지속적인 독도 영유권 주장

2. 독도 입도 허가제 → 신고제로 변화(2005년)

일본은 독도가 일본 고유의 영토이며 한국이 불법 점거하고 있다는 망언을 계속하며 도발을 계속하면서, 우리 국민들의 독도에 대한 관심이 높아졌다. 또한 2005년까지는 독도를 방문하려면 국가의 허가를 받아야 했으나, 지금은 대한민국 국민이면 누구나 자유롭게 독도를 탐방 할 수 있다.

이를 계기로 매년 많은 관광객들이 독도 탐방에 나서고 있으며, 독도 탐방을 위해서는 울릉도를 꼭 거쳐야 한다. 여기에 울릉 공항까지 예정되어 있으며 울릉도 땅값은 "자고 나면 껑충... 울릉도 땅값 무섭네"라는 기사가 나올 정도로 천정부지로 오르고 있다.

최근 MBC 예능 '나혼자 산다' 프로그램에서 아나운서 김대호씨가 울릉도에 대한 애정을 밝히고 울릉도에 살고 싶어 집을 임장에 나온 모습을 통해서도 많은 시청자들이 울릉도 땅값이 높음을 인식했을 것이다.

2. 독도에 대한 이야기

2019년 독도교육 시범학교를 운영하며 독도교육의 실태를 파악하기 위하여 경상북도 도내 약 200여명의 선생님들께 '독도 교육, 어떻게 하시나요?' 라는 설문을 실시하였다.

독도교육 실태 조사 (N=192명)

매년 교육부에서는 독도교육주간을 연 1회 운영, 연간 약 10시간의 창의적체험학습 시간을 권장하고 있다. 하지만 학교 현장에서는 여러 가지의 사정으로 독도교육이 생각만큼 잘 이루어지지 않고 있었다. 독도교육의 필요성은 인식하고 있지만, 과도한 학교의 행사, 독도에 대한 지식의 부족, 자료의 부족 등으로 독도교육 지도에 어려움을 느끼고 있음을 알 수 있다.

독도 교육의 중요성과 필요성은 인식하나
학교의 과다한 행사와 업무로 시수 확보가 힘듬

독도에 대한 내용과 지식의 부족으로
수업의 어려움을 토로

활용할 수 있는 자료들이 부족하며
여러 사이트로 분산되어 있고 원하는 자료를 찾기 어려움

　그리고 초등학생들의 독도에 대한 인식과 독도에 대해 얼마나 알고
있으며, 무엇이 궁금할지에 대해 120명을 대상으로 설문조사를
실시해 보았다. 초등학생들이 가장 많이 궁금해 하는 궁금증의
순위는 아래의 그림과 같으며, 그 순서대로 독도에 대한 궁금증 및
지도 방법에 대해 이야기를 해보려 한다.

독도에 대해 가장 궁금한 점은?

1 일본이 왜 독도를 차지하려고 하나요?

2 독도는 언제, 어떻게 생겨났나요?

3 독도에 사람이 살 수 있나요?

4 독도는 어느 나라 땅인가요?

5 독도의 이름은 왜 독도' 인가요?

　이 책에서는 위의 다섯 가지 질문에 대해 설명하고, 각 궁금증의
말미에 O·X 퀴즈를 제시하였다. 퀴즈의 정답을 찾아가며 각 글자를
조합하면 5글자의 단어가 만들어 질 것이다. 5글자 조합의 단어를
찾으며 함께 출발해 보자.

독도의 이름은 왜 '독도' 인가요?

독도는 예전부터 불리던 이름은 돌섬이다. 전라도 사람들이 주로 울릉도와 독도에서 어업을 했는데 옛 사람들은 독도를 돌섬이라 불렀다고 한다. 그런데 전라도 사투리로 '돌' 은 '독'이다. 그래서 사람들은 '돌섬'을 '독섬'이라고 불렀다. '독섬'을 한자어로 섬 '도(島)'자를 '석도(石島)', '독도(獨島)' 로 이름지어졌다.

1945년 설립된 (사)조선산악회는 일제에 유린된 국토를 구명하자는 취지의 '국토구명학술조사사업'을 전개하였고, 1947년, 1952년, 1953년 세 차례의 울릉도·독도 학술 조사를 실시하였다.

1947년 울릉도·독도 학술 조사에 참가한 서울대학교 교수 방종현 교수 (국어사와 방언 전문가)는 독도의 어원이 독섬이고, 이는 돌섬, 즉 석도에서 비롯된 것이라고 추정하였다.

서울대학교 방종현 교수

많은 사람들이 독도(獨島)의 한자어 '獨'(독) 자의 '홀로 독'만 보고는 바다 한 가운데 홀로 선 그 모습을 보고 '외로운 섬'이란 의미로 '독도'라는 이름이 붙여졌다고 생각들 한다. 그것은 잘못된 생각이다. 원래 말이 먼저 생기고, 그 말에 합당한 문자가 나중에 매겨지는 것이 순서다. 옛날 토지대장과 같은 장부에 올리기 위해서는 그 이름을 문자로 바꿔야 했다. 그 옛날 담당 관리는 백성들이 오래 써 온 이름인 독도의 '독'을 '獨'(홀로 독)자로 매겼다고 전해지고 있다.

⚫ Q:독도는 동해에 있는데 왜 전라도 사람들이 독도에 갔을까?

A: 통일 신라와 고려시대는 바다를 통한 대외무역이 왕성하였고 아랍 등과도 교역한 기록이 남아있다. 하지만 조선 초에는 먼 바다로의 출어, 사무역 금지 등 강력하게 바다로 나가는 것을 통제(해금정책) 하였다. 그런 조치로 인해 동해안으로의 사적 출어는 강력하게 통제하였다.

하지만 섬이 많고 섬 간의 배를 통한 이동이 잦은 전라도 지역은 풍향과 조류의 흐름을 이용하여 울릉도·독도 지역에서 어업 활동을 이어갔다고 한다.

동해 해류 흐름도

바람과 해류의 힘만으로 독도에 가다

예로부터 우리 조상들이 조류와 바람의 힘만으로 울릉도·독도에 갔음을 증명해 보려 필자는 경상북도, 국립청소년해양센터, (재)독도재단과 협업하여 요트를 이용하여 직접 탐방해 보았다.

아침 8시에 포항에서 출발한 요트는 오직 조류와 바람의 힘으로 25시간의 항해를 거쳐 독도에 도착하였다. 촬영 일정과 영상이 궁금하다면 유튜브에서 아래 영상을 검색해 확인해 보기 바란다.

8.15 광복절날 ,1박 2일 독도 요트탐험대 #경
상북도 #국립청소년해양센터 #독도재단

이 외에도 독도는 오랜 역사의 흐름과 함께 우리 조상들은 '독도'를
우산도(于山島), 삼봉도(三峰島), 가지도(可支島), 자산도(子山島)
,석도(石島), 독도(獨島) 등으로 불려져 왔다.
간단하게 독도의 옛 명칭과 그 유래에 대해 알아보면 다음과 같다.

▲ 우산도(于山島)

세종실록지리지에 다음과 같이 나와 있다. "우산(于山)과 무릉(武陵)
두 섬이 현의 정동(正東) 바다 가운데에 있다. 두 섬이 서로 거리가
멀지 아니하여 날씨가 맑으면 가히 바라볼 수 있다." 여기서 '무릉'이
울릉도, '우산'은 독도라고 한국 학자들은 말하고 있다.

▲ 삼봉도(三峰島)

삼봉도(三峰島)라는 이름은 조선 성종(1469~1494) 시대에 독도를
먼 곳에서 보면 세 개의 봉우리처럼 보인다고 해서 붙여진 이름이
다. 삼봉도에 관한 기록은 '성종실록(成宗實錄)'에 잘 나타나 있다.

▲ 자산도(子山島)

1696년 안용복이 2차 도일한 사건을 기록한
'원록구병자년조선주착안일권지각서'의 내용에는 독도가 울릉도의
새끼 섬(자식 섬)이란 뜻으로 자산도라고 기록되어 있다.

▲ 석도(石島)

1900년 대한제국 칙령 제41호에 등장하는 독도의 이름으로 당시 고종은 울릉도의 군청의 위치는 태하동(台霞洞)으로 하고, 울릉도의 관할구역은 울릉전도, 죽도(竹島), 석도(石島)로 한다고 기록되어 있다.

▲ 가지도(可支島)

'가지도'라는 명칭은 독도에 '가지어(강치, 가제)'가 많이 서식한데서 유래한 이름이다. 독도의 서도 북서쪽에는 '큰가제바위'와 '작은가제바위'가 있는데, 가제(가지)는 강치의 울릉도 사투리로 라고 한다. 가지도에 대한 기록은 정조실록(正祖實錄)에 기록되어 있습니다.

🌑 Q: 독도에 그 많던 강치는 다 어디로 갔을까?

A: 강치의 학명은 안타깝게도 영어명으로는 'Japanese Sea Lion', 학명으로는 'Zalophus japonicus', 한국에서는 강치로 불린다. 동물의 왕이 사자이듯이 바다의 사자라 불리우는 강치는 몸길이가 2.5m가 넘는 포유류이다.

러일전쟁 전후로 가죽을 얻기 위해 시작된 일본인들의 무차별한 남획으로 서서히 모습을 감추었으며 1975년 이후 독도에서 사라지고 1994년에는 국제자연보전연맹에서 독도에서 강치가 멸종되었다고 선언했다.

하지만 1905년 이전에 울릉도에 살던 한국인들이 독도에서 강치를 잡아 매년 가죽 800관(600엔)씩 일본에 수출한 기록이 있다. 그리고 광복 후인 1975년에 멸종이 되었다는 것은 그때까지도 독도에 강치가 보였다고 봐야 한다. 여러 기록에서도

등장을 하며, 이 부분에 대해 경상북도교육청사이버독도학교 문의
게시판 글에서도 확인해 볼 수도 있었다.

문의하기

경상북도교육청사이버독도학교 문의글 중 일부 발췌
문의 내용은 작성자의 아버지가 독도경비대장으로 근무하던
60~70년대까지도 엄청난 수의 강치가 독도에 있었다는 증언이다.

이 부분에 대해서 주위의 연구진들과 수없이 많은 담론을
나누어보았지만 쉽게 교육의 방향에 대해 결론을 내기가 쉽지
않았다. 당시 광복후 6·25 전쟁 직후 먹고 살기 힘든 일부
우리나라 사람들도 가난을 벗어나지 못한 상황에서 돈벌이를 위해
강치를 잡았을 것이다. 하지만 강치가 멸종되는 원인은 일본의
무분별한 남획이 큰 결정적인 원인을 제공한 것은 명백한 사실이다.

독도 교육 중 강치 이야기만 나오면, 일본에 대한 적개심을
나타내는 학생들이 많으며 이는 반일교육으로 이어질 위험성이 매우
크다.

일본은 미래지향적인 관점에서 함께 성장해야 할 동반자인 이웃 국가이다. 일본에 대한 반일교육이 아닌 우리나라가 힘을 키워야 한다는 미래지향적인 독도교육으로 이어졌으면 좋겠다.

역사에는 IF(만약에....)가 없지만, 당시 독도에 있던 강치와 비슷한 종이 미국 캘리포니아 및 갈라파고스 해변에 서식한다고 한다. 많은 관광객들이 강치를 보기 위해 이 지역을 방문한다.

우리나라가 국력이 강하여 일본의 식민지가 되지 않았다면 지금의 독도에는 수만 마리의 강치가 서식하고 있었을 것이며, 강치를 보기 위해 전 세계의 관광객들이 독도로 향하지 않았을까?

表 1　竹島におけるニホンアシカ捕獲数の推移(田村, 1965 より)

年		年間捕獲数	備考
明治	36 (1903)	—	試験的操業開始
	37 (1904)	ca. 3200	本格的操業開始
	38 (1905)	ca. 2800	
	39 (1906)	1919	
	40 (1907)	2104	
	41 (1908)	1680	
	42 (1909)	1153	
	43 (1910)	679	
	44 (1911)	453	捕獲高激減
大正	5 (1916)	200〜300	定期的な出漁続くが,
	6 (1917)	200〜300	操業は小規模となる
昭和	3 (1928)	ca. 100	
	4 (1929)	ca. 100	
昭和	8 (1933)	8	出漁は不定期となり,
	9 (1934)	19	従来の皮革と油脂を目
	10 (1935)	49	的とした猟法を改め,
	11 (1936)	ca. 20	動物園, サーカスへ売
	12 (1937)	ca. 20	却するため生け捕りに
	13 (1938)	ca. 20	転換
	14 (1939)	ca. 20	
	15 (1940)	21	
	16 (1941)	16	

1904년부터 일본에 의해 남획된 강치의 수

미국 캘리포니아 강치
(국립해양과학관 배진호 촬영)

〈OX 퀴즈〉
독도 앞바다에서 가자미가
많이 난다고 하여 붙여진
독도의 옛이름은 '가지도'이다.

독도는 어느 나라 땅인가요?

독도는 어느 나라 땅일까요? 하고 물어보면 대한민국 국민들은 누구나 대한민국의 땅이라고 답할 것이다. 흔히 우리는 독도는 지리적·역사적·국제법상 대한민국 영토라고 이야기 한다. 그러면 지리적·역사적·국제법상 대한민국 영토인지 한번 알아보자

■ 독도는 대한민국의 고유 영토 – 지리적 관점에서

독도는 울릉도 도동의 살구바위(비공식명칙)에서 독도 뚱여바위(비공식명칭)까지 87.4.Km 떨어져 있어 맑은 날 울릉도에서 육안으로 독도를 볼 수 있다. 하지만 일본의 북서쪽 땅끝이 오키섬에서 157.5km 떨어져 있어 독도가 보이지 않는다.

독도의 위치
(독도재단)

울릉도에서 촬영한 독도의 일출
(울릉도·독도 해양연구기지 대장 김윤배)

「세종실록지리지」와 「신증동국여지승람」에는 울릉도와 독도가 '날씨가 맑으면 가히 바라볼 수 있다'고 기록 되어 있다. 서로 바라볼 수 있다는 것은 하나의 생활 권역임을 말해 준다. 조선 시대

관리 장한상의 기록을 통해 강원도 동해안 사람들이 눈에 보이는 울릉도로 건너갔고, 울릉도에서 눈에 보이는 독도로 드나들었다는 기록에서도 알 수 있다.

 이 기록을 통해 울릉도와 독도는 지리적으로 강원도 동해안의 우리 민족의 삶의 터전이었음이 드러나는 대목이다.

■ 독도는 대한민국의 고유 영토 - 역사적 관점에서

 독도가 대한민국의 영토임을 뒷받침하는 역사적 근거는 여러 가지가 있으나 초등학교 학생들 수준의 독도교육지도에 도움이 되는 몇 가지 자료를 요약해 보면 다음과 같다.

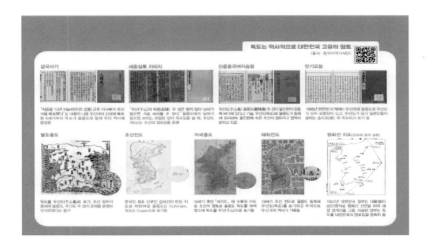

▲ 삼국사기

 "지증왕 13년 하슬라주(현 강릉) 군주 이사부가 우산국을 복속했다"는 내용이 나옴. 우산국이 신라에 복속된 6세기부터 독도와 울릉도와 함께 우리 우리 역사에 등장함

▲ 세종실록지리지

"울릉도와 독도 두섬은 멀지 않아 날씨가 맑으면 서로 바라볼 수 있다." 울릉도에서 날씨가 맑으면 보이는 섬이 독도임을 감안할 때, 독도는 조선시대부터 영토로 인식하고 있었음을 알 수 있다.

▲ 신증동국여지승람

"우산도, 울릉도 두 섬이 울진현의 정동쪽 바다에 있다"고 기술한 내용이 나옴.

▲ 만기요람

1806년 편찬된 이책에는 우산국에 울릉도와 우산도가 모두 포함되어 있고, 우산도가 당시 일본인들이 말하는 송도, 즉 독도라고 표기됨

▲ 팔도총도

독도를 우산도로 표기한 지도로 조선 정부가 동해에 울릉도와 독도 두섬의 존재를 분명히 인식하고 있었다는 것을 알 수 있다.

▲ 조선전도

한국인 최초 신부인 김대건이 만든 지도로 라틴어로 울릉도는 Oulengto, 독도는 Ousan으로 표기되어 있다.

▲ 아국총도

18세기 후반 「여지도」에 수록된 지도로 조선의 영토로 울릉도·독도를 채색했으며 독도를 우산으로 표기하였다.

▲ 해좌전도

19세기 조선 전도로 울릉도 동쪽에 우산도(독도)를 표기하고 주석으로 우산국의 역사가 기록되어 있다.

▲ 평화선 지도

1952년 대한민국 정부는 대통령 명의로 평화선 선언을 하며 해양 경계선을 전세계에 공포함으로 독도가 대한민국의 영토임을 명확히 하였다.

■ 독도는 대한민국의 고유 영토 – 국제법적인 관점에서

▲ 고종의 「대한제국 칙령 제41호」

국제법상 한 나라의 고유 영토로 인정하는 경우는 「무주지선점론」에 의해 어느 국가의 영토에도 귀속되지 않으며, 이 영토의 실효적 지배가 없는 무인도여야 한다. 또한 이를 관보에 게재하여 주변국 및 관계국에 알려야 한다.

일본은 일개 지방 정부의 시마네현 고시로 자신의 고유영토라고 주장한다. 이는 국제법상 요건을 충족시키지 못한 무효의 행위이다.

이에 반해 대한제국의 1900년(고종37) 10월 25일에 "울릉도를 독립된 울도군으로 격상하고 울릉도, 죽도, 그리고 독도를 관장한다"는 칙령 제 41호를 반포하고 이를 관보에 게재하여 주변국 및 관계국에 알렸다.

이는 대한제국이 울릉도와 독도를 영유하고 있었다라는 것을 재 확인할 수 있는 중요한 사료가 된다. 이날을 계기로 현재 10월 25일을 독도의 날로 지정(2000년 8월, 독도수호대 제정) 기념하여 학교에서는 각종 독도의 날 행사를 진행하는 것이다.

Q: 독도를 가장 강력하게 지킨 왕 혹은 대통령은 누구일까?

A: 독도를 가장 강력하게 지킨 우리나라의 지도자는 누구일까?
역사적으로 우리나라의 지도자 중 독도를 직접 시찰한 지도자는
드물다. 독도가 아닌 울릉도 방문 지도자도 1962년 박정희
대통령이 처음이었다. "울릉도를 이렇게 내팽겨쳐 둘거면 차라리
일본에 팔아버리지요." 라는 울릉도 출신의 한 공무원의 말에
박정희 대통령이 울릉도를 방문하게 된 계기라고 한다.

당시 박정희 대통령이 울릉도에서 1박을 했던 울릉군수의 관사는
현재 「울릉도에서 만나는 박정희 1962」 기념관으로 운영되고 있다.
독도를 처음 방문한 대통령은 2012년 8월 10일 헬기를 타고
이명박 대통령이 방문하였다. 이명박 대통령의 독도 방문은 일본의
강력한 항의로 이어졌고, 당시 한일 관계가 악화되는 계기가 되기도
하였다.

필자가 생각하는 독도를 가장 강력하게 지킨 지도자는 이승만 초대
대통령이다. 1950년대 초반 대한민국은 독도의 바다 어장까지
관리할 여력이 되지 않는 상황에서 일본 어업인들은 울릉도·독도
앞바다 어장에서 어업 자원의 남획이 이루어졌다.
이를 방지하고자 1952년 독도 앞바다까지 포함하는 '대한민국
인접해양의 주권에 대한 대통령의 선언'을 공표함으로 대한민국
수역의 구분과 자원 및 주권 보호를 위한 경계선을 그었다. 이를
'이승만 라인' 또는 '평화선'이라 부른다. 이에 일본은 강력
반발하였으나 1965년 한일어업협정이 성립되기 전까지 일본의 선박
313척 나포 및 185척 압류 조치 등으로 울릉도·독도 연안에서의
불법 조업을 강력하게 단속함으로 독도는 물론 독도 인근 해양까지
대한민국의 영토임 명확히 하였다.

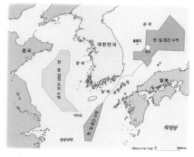

이승만 라인(평화선)의 경계   신한일어업협정에 따른 한일 중간 수역도

　당시 어업 기술이 월등히 앞선 일본의 동해상의 무분별한 어업 행위를 막기 위해 설정한 평화선이라고는 하지만 우리나라가 어떤 나라인가? 우리나라의 어업 기술은 급속한 발전을 거듭하여 어느 순간 일본의 어업 및 어획량을 위협하기 시작하였다. 그리고 1994년 UN해양법협약에 의한 200해리 배타적경제수역(EEZ)이 발효되자 일본은 일방적으로 '한일 어업협정'을 파기하였다.

　이에 정부는 일본정부와 '신한일어업협정(1998)'을 체결함으로 현재 독도가 한일 중간수역으로 포함되어 우리 국민들의 많은 비난을 받았다.

　일부 단체에서는 '신한일어업협정'이 독도를 포기했다는 조약이라며 협정의 무효를 헌법재판소까지 가져갔지만, 헌법재판소에서는 어업협정은 영토나 독도 영유권 문제와 관련이 없다는 이유로 2차례 기각 판결을 내렸다.

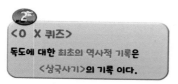

<O X 퀴즈>
독도에 대한 최초의 역사적 기록은
<삼국사기>의 기록 이다.

독도에 사람이 살 수 있나요?

국제법상 독도는 섬(Island)인지 암초(Rock) 일까?

언젠가 독도가 섬의 지위를 가지려면 「물」, 「사람」, 「나무(식물)」이 있어야 한다고 주장했다. 일부 단체에서 성금을 모아 독도 주민에게 어선도 기증하고, 독도를 푸르게 가꾸어야 한다고 나무 심기 행사도 하곤 하였다.

그렇다면 국제법상의 섬(Island)의 정의는 어떻게 될까? UN해양법협약 제121조 3항에 의하면 ① 밀물 시 수면위로 형성된 지역이며 ② 인간이 거주하거나 그 자체의 경제 활동을 유지할 수 있는 지역을 '섬(Island)'으로 규정하며, 이 조건을 만족하는 **섬(Island)은 바다를 대상으로 배타적경제수역(EEZ) 200해리와 대륙붕을 가질 수 있다고 명시**되어 있다.

배타적경제수역은 그 국가가 수역내의 모든 어업 활동과 해양 자원의 탐사·개발·이용·관리 등에 관한 경제적 활동의 권리가 보장된다. 섬으로 둘러쌓인 일본은 왜 이렇게 독도에 관한 야욕을 드러내는 것일까? 바로 독도로 인해 가지게 될 배타적경제수역도 한 몫을 담당하고 있을 것이다.

실제로 일본은 섬 지형으로 언젠가 섬이 잠길 거라는 불안을 가지고 있다. 또한 일본은 영토에 대한 야욕과 집착이 대단하다.

이것을 단적으로 보여주는 사례가 있다. 도쿄에서 남쪽으로 1700㎞ 정도 떨어진 북태평양 해상에 자리한 가로 2m, 세로 5m 인 작은 암초 '오키노토리시마(Okinotorishima Reef)'는 일본이 1987년 인공구조물인 콘크리트를 쏟아 부어 일본 정부는 섬의 길이가 동서 4.5㎞, 남북 1.5㎞라고 주장하고 있으며 이를 섬이라 주장하며 주변 200해리의 배타적 경제수역을 공식적인 지도로 나타내며 국제사회에 공포했다. 일본의 주장대로라면 일본은 자국 영토(38㎢)보다 큰 배타적 경제수역(약 40만㎢)인 바다영토를 가질 수 있다.

원래 가로 2m,세로 5m짜리 암초(Rock)였던 오키노도리시마
작은 암초에 인공 구조물을 설치한 모습

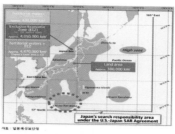

일본이 주장하는 배타적경제수역의 범위

일부 단체에서는 독도 또한 섬의 지위를 가지기 위해서는 「물」, 「사람」, 「나무(식물)」이 있어야 한다고 주장했다. 예전부터 독도는 우리 주민들의 삶의 터전이였고, 그러기 위해서는 물(민물)이 필수적 이여야 했다. 독도에 유일하게 지하수 용출이 발생하고 있는 곳이 서도의 '물골'(물이 고인다고 해서 붙여진 이름)이다.

역사서에 기록되지 않은 많은 우리의 어민들은 이 서도의 물골에 움막을 짓고 어업 활동을 하였다. 하지만 이곳은 태풍과 해일에 취약한 곳으로 매번 태풍이나 해일이 일면 움막이 무너지곤 하였다 한다. 하여 독도의 최초의 주민 최종덕씨때부터 현재의 주민 숙소 위치로 거주지를 옮기고 '물골'로 물을 길어갈 때면 밧줄을 타거나 배를 이용하여 물을 길어 왔다고 한다.

이후 '998' 계단이 완공되고는 계단을 이용해 물어 길어 사용하였으며 최근에는 행정선을 이용해 식수를 공급받거나, 서도 주민숙소 1층에 설치된 담수화 기계를 이용하여 식수 문제를 해결하고 있다.

독도에는 우리 어민들이 어업 활동을 하는 삶의 터전이였지만 기록으로 남은 최초의 주민은 최종덕(1925-1987)이다. 울릉도 어부였던 그는 1965년 3월, 공동어장 수산물 채취를 위해 독도에 거주하며 어업 활동을 하였다. 1980년 일본이 독도를 무인도라 주장하며 영유권을 주장하자 대한민국 국민이 살고 있는 대한민국의 영토임을 보여주고자 독도로 주민등록을 옮겨 '최초의 주민'이 되었다. 최종덕씨는 첫 입도 이후 매년 10개월 이상 상주하며 문어, 전복 양식 등의 어업 활동으로 경제 활동을 하였으며, 독도에서 발생한 수익 대부분을 재투자하여 독도 주민 마을 조성 사업을 추진하였다.

최종덕씨와 그의 딸 최경숙씨 및 그의 어업활동 기록
(출처: 최종덕기념사업회)

최종덕씨에 대한 기록에는 "전복 양식에 있어 우리나라 기술력으로는 50%를 살리고, 일본은 70%를 살리는데, 최종덕씨가 하면 100% 성공한다."는 대목에서 독도 바다에 대한 전문가였음을 시사하는 일화가 있다. 독도에 오래 살며 터득한 그의 노하우들은 이후 독도 경비대 준공, 동도 개척 사업에 큰 도움을 주었다고 한다.

최종덕씨가 타계(1987) 후 독도 주민이 된 사람은 김성도 (1940-2018)이다. 최종덕씨 배의 선장으로 독도에서 어로활동을 하던 중 1991년 부인 김신열(1937-)과 함께 독도로 주민등록을 이전하였으며, 2007년 독도리 이장에 취임한다.

그는 어업활동과 함께 독도에서 최초로 사업자 등록을 하여 독도카페를 운영하며 독도를 찾아오는 관광객을 대상으로 카페 영업 및 기념품을 판매하였으며, 발생한 수입에 대해 포항세무서를 방문하여 부가가치세를 납부하였다.

김성도씨의 국세납부는 독도에서 주민이 거주하며 경제활동을 함을 증명하는 것으로, 독도가 국제적으로 섬의 지위를 받을 수 있다고 주장할 수 있는 근거가 되고 있다.

김성도씨와 그의 아내 김신열씨 모습

이외에도 독도에는 독도경비 임무를 수행하는 1개 지역대 규모의
독도경비대가 있으며, 우리 어선들의 어업활동을 지원하기 위한
독도등대에도 주민등록을 독도로 옮긴 독도 등대원 3명이 교대
근무로 거주 중이다.

울릉군 독도관리사무소 소속의 독도관리사무소 직원의 상시 교대
근무와, 2021년부터는 독도를 탐방하는 관광객 및 어업활동을 하는
어민들을 지원하기 위해 119구조·구급대원이 2명 거주하고 있다.

이외에도 매년 많은 우리 국민들이 독도를 방문하고 있다. 독도는
더 이상 일본이 주장하는 무주지가 아닌 대한민국 국민들이
거주하는 유인도임을 알 수 있는 대목이다.
독도는 우리 주민들이 실거주하는 유인도이다. 독도의 주민들이
생활하는데 있어 필요한 주요 시설물들에 대해서 알아보자.

독도의 주요 시설물

▶ 선착장(독도접안시설)

1977년 11월 준공된 독도접안 시설물로 대한민국 국민이면 누구나 독도에 쉽게 입도할 수 있게 되었다. 울릉도에서 출발하여 독도에 입도하면, 아쉽게도 승선·하선 시간을 포함하여 30여분 정도를 선착장 주변의 독도에 머물 수 있다. 독도의 보호를 위해 아쉽게도 특별한 목적으로 허가 받은 사람들만이 동도 정상과 서도에 발을 딛을 수 있다.

독도 선착장을 걷다 보면 '대한민국 동쪽 땅끝'이라 적힌 '독도접안시설준공 기념비'를 볼 수 있다. 특이한 점은 이 기념비의 태극 모양은 우리가 흔히 보는 태극 모양과는 조금 다른 모습의 '삼태극' 모양을 하고 있다. 이는 "내 죽어서 바다의 용이 되어 나라를 지킬테니, 화장하여 동해에 장사를 지내라"고 유언한 신라의 문무대왕의 은혜를 감사한 마음을 기리는 경주의 '감은사' 금당터에 삼태극에서 영감을 얻어 독도 수호의지를 이 비석에 새긴 것이다.

독도접안시설 준공비의 삼태극 모양

경주 감은사 금당터의 삼태극 모양

▶독도경비대원 막사

1997년 8월 증축하여 독도경비대원의 숙소로 사용되며 1일 27톤 생산 가능한 담수시설이 설치되어 있다. 경비대원들의 생활에 필요한 물품들은 행정선, 여객선 등을 통해 보급받으며 이를 동도

정상부에 있는 막사까지 옮길 수 있는 300m 규모의 케이블카도 설치되어 있다.

1950년대부터 상주한 경찰은 1996년 울릉경비대가 창설되며 의경들이 본격적으로 배치되었으나, 현재는 의경 제도가 폐지되어 직업 경찰이 활동 중에 있다.

1956년 독도경비대 막사와 대원들   경북지방경찰청 독도경비대 건물

▶한국령(韓國領) 표지석

독도의 동도에 위치한 독도경비대 막사 바로 아래 절벽에 '韓國領(한국령)'이란 바위에 글씨가 새겨져 있다. 이는 외벽에 글씨를 새긴 정도가 아니라 바다에서 보이는 바위섬 벽면의 글씨 크기이다. 이 글씨는 1954년 당시 울릉경찰서에서 울릉도에서 명필로 꼽히던 고(故) 한진호씨에게 요청하여 새겼다고 전해진다.

필획과 결자의 기타 서예적 테크닉 또한 상당한 경지에 도달했다고 평가받는 이 글은 독도가 한국령임을 선명하게 주장하고자 하는 그의 애국심이 한획 한획에 깊이 새겨있음을 보여주는 글귀이다.

2012년 8월 10일 대한민국 대통령으로는 처음으로 독도에 방문한 이명박 대통령이 이 한국령 앞에서 찍은 사진이 보도가 되면서 한차례 한·일 양국간의 외교 문제로 불거지기도 하였다.

동도에 새겨진 한국령 표지석   이명박 대통령 방문 당시 모습

▶독도 등대

정식 명칭은 독도항로표지관리소이다. 1953년 일본 선박이 독도 수역을 침범하고, 일본 관리들이 독도에 일본 영유권 표시를 하는 일이 발생하자 우리 정부는 독도가 대한민국 영토임을 천명하고 그 상징물로 1954년 등대를 설치하였다.

무인등대로 운영되다가 1998년 유인등대로 전환하여 포항지방해양항만청에서 관리하고 있으며, 현재는 3인의 등대원이 독도로 주소를 이전하여 독도 등대에서 근무 중이다.

독도 등대   독도 우체통

▶독도 우체통

독도에는 2003년 우편번호 799-805가 부여되면서 독도경비대
막사 앞에 우체통이 설치되어 운영되었다. 3년여간 경비대원들이
사용하다가 독도 행정선의 비정기 운행 및 우편물 수거의 어려움
등으로 폐쇄된 상태이다.

2015년 8월부터 우편번호가 5자리로 변경되면서 현재 독도의
우편번호는 40240으로 변경되었으며, 독도 우편번호를 활용한
'독도 소주' 등 다양한 상품들도 제작되어 판매되고 있다.

▶주민 숙소

서도에 위치한 독도 주민 숙소

독도에 어업활동을 하던
어업인들은 식소 공급을
위해 물골이 위치한 곳에
움막을 짓고 어업활동을
했으나 잦은 태풍 등으로
임시 거주지가 파손되는
일이 잦았다.

이에 최종덕씨는 1960년대 중반 독도 마을 조성을 목표로 현재의
주민숙소 위치에 거주를 위한 건물을 지어 생활하였다. 이 자리에
2011는 4층으로 된 건물이 준공되었다.

이 건물의 정식 명칭은 '독도 주민숙소'이다. 숙소 1층에는 바닷물을
민물로 바꾸는 해수담수화 시설, 전기 생산을 위한 발전기실이 있으며
그 위층으로는 숙소로 이루어져 있다. 한때 김성도,김신열 부부도
거주하였으나 김성도씨 별세와 김신열씨의 고령화로 현재는 울릉군
독도관리소 직원 2명, 중앙119구조본부 독도119 구조·구급대원
2명이 봄부터 가을까지 교대 근무로 거주하고 있다.

▶998계단

현재 독도 주민숙소 위치로 옮기고 가장 시급한 문제가 식수의 해결이었다. 물골에서 물을 구하기 위해서는 어선을 타고 이동하거나, 서도 꼭대기에 밧줄을 매달아 올라 물을 구해왔다. 이에 불편함과 위험함을 해소하기 위해 서도 주민숙소에서 물골까지 계단 공사를 하였는데 그 계단의 수가 998개라하여 '998계단' 이라 불린다. 현재는 행정선에 의한 식수의 공급 그리고 담수화 설비로 인해 물골로 물을 길러가는 불편함은 사라졌다.

▶물골

사람의 생존에 가장 필요한 요소가 바로 담수의 존재이다. 독도에는 유일하게 비와 눈 등의 강수가 지하수로 용출되는 곳이 물골이다. 이 물골 주변이 독도의용수비대가 1954년 봄 독도에 상륙할 때 처음 주둔했던 곳이다.

서도의 998계단   서도의 물골

<OX 퀴즈>
서도의 '주민 숙소'에는 울릉군의 허가를 받으면 사용할 수 있다.

독도는 언제, 어떻게 생겨났나요?

동해 바다 한가운데 홀로 우뚝 선 독도
독도 수업을 시작하면 학생들이 가장 많이 물어보는 질문중 하나가

"선생님, 독도는 바위에 둥둥 떠있나요?" 이다.

독도는 화산활동에 의해 생성된 섬이다. 우리나라의 대표적인
화산활동에 만들어진 섬이 제주도, 울릉도, 독도이다. 독도는 약
460만년전 ~ 250만년전, 울릉도는 약 250만년전, 제주도는
150만년전에 생성된 것으로 보고 있다.

학생들에게 제주도, 울릉도, 독도 중 가장 큰 섬이 무엇이냐
물어보면 제주도라고 답을 한다. 크기 순으로 독도, 울릉도,
제주도로 먼저 만들어 졌다고 하면 학생들이 이해하기 쉽다.

울릉도·독도 해저 지형도(©국립해양조사원)

울릉도와 독도와는 달리 해수면 위로 올라오지 못한 봉우리를
'해산'이라 부른다. 독도와 연관된 인물의 이름을 붙여 '안용복 해산',
'심흥택 해산','이사부 해산'으로 불리고 있다.

독도는 동도와 서도 외 89개의 섬으로 이루어져 있다. 이 바위섬에는 다양한 이름을 붙여 부르고 있는데 다양한 독도의 바위에 대해서 알아보자.

▶삼형제 굴바위

삼형제 굴바위는 마치 형을 따르는 두 동생의 모습과 같다 또는 3개의 굴이 머리를 맞댄 의좋은 삼형제의 모습과 같다하여 붙여진 이름이다. 이 바위섬에는 파도에의한 침식작용으로 세 개의 구멍이 뚫려 있으며, 꽤 큰 섬임에도 불구하고 높은 파도로 인해 식물이 자라지 못하는 환경이다.

삼형제굴바위

촛대바위(장군봉)

▶촛대바위(장군봉)

동도와 서도 사이에 있는 바위섬으로 바치 촛대를 세워놓은 듯한 형상이라 하여 촛대바위라 부른다. 동도 쪽에서 바라보면 투구를 쓴 장군의 얼굴처럼 보여 장군바위라고 부른다.

▶탕건봉

독도는 서도의 대한봉(168.5m)와 동도의 우산봉(98.6m), 그리고 서도의 탕건봉 이렇게 3개의 봉우리로 구성되어 있다. 탕건봉은 바위의 형상이 조선시대 양반들이 갓 아래에 받쳐쓰는 관모인 탕건의 모습과 흡사하다고하여 붙여진 이름이다.

탕건봉

▶독립문바위

동도 동쪽 끝에 위치한 바위로 모양이 독립문의 모양을 닮았다고 하여 붙여진 이름이다. 독립문 바위 옆에는 우리 어선들이 접안해 쉬어갈 수 있는 작은 선착장도 있다.

독립문바위

큰가제바위(위쪽)와
작은 가제바위(아래쪽)

▶가제바위

독도에 많이 서식하였던 강치를 옛 선조들은 가지, 가지어 또는 가제라고 불렀다. 크기가 크고 편평하며 육상에 드러난 89개의 부속도서 중 군함바위 다음으로 큰 면적을 차지하고 있어 강치의 서식지로 적절하였다.

강치가 많이 머물렀던 바위라 하여 가제바위로 불리고 있다. 가제바위는 그 크기에 따라 '큰 가제바위'와 '작은 가제바위'로 나뉘며 두 바위를 '가제바위'라고 통상 부르고 있다.

▶얼굴바위

독도 동도에 위치한 바위로 상투머리를 한 사람이 동해바다를 응시하고 있는 듯한 형상을 하고 있어 얼굴바위라 불리고 있다.

▶악어바위

독도 서도에 위치한 바위로 악어가 입을 벌리고 있는 형상을 닮아 악어바위로 불린다.

얼굴바위

악어바위

▶코끼리바위

서도에 위치하고 있으며 해식동굴이다. 그 모습에 마치 물속에 코를 박고 있는 코끼리의 형상을 하고 있어 코끼리바위로 불리운다. 구멍이 뻥 뚤려 공암(空巖)이라고도 한다.

▶천장굴

동도 정상에서 바닥까지 뻥 뚫린 굴이라고 하여 천장굴로 불린다. 깊이는 약 100m에 이르며 바닥쪽에는 2개의 동굴이 있는데 소형 고무보트를 타면 동굴 안쪽까지 들어갈 수 있지만, 일반인의 접근은 제한된다.

코끼리바위

천장굴

▶숫돌바위

독도의용수비대원들이 활동하던 1950년대에 의용수비대원들이 이 바위의 재질이 칼을 가는 숫돌의 재질과 비슷하여 이 바위에서 칼을 갈았다고 한다. 칼을 가는 숫돌과 재질이 비슷하다 하여 숫돌바위라 불린다.

숫돌바위

닭바위

▶닭바위

동도와 서도 사이에 있는 닭바위는 서도의 주민숙소에서 바라보면 닭이 알을 품은 형상을 하고 있어 닭바위라 불린다.

이 외에도 넓이가 넓은 바위라 하여 '넓덕바위', 울릉 해녀 이진해씨가 매년 미역을 많이 채취하던 바위라 하여 붙여진 '지네바위' 등 다양한 사연으로 이름이 붙여진 바위들이 많이 있다.

하지만 아직 이름이 붙여지지 못한 바위도 있는데, 이름이 붙여지지 않은 바위에 학생들과 함께 이름을 붙여보는 것도 재미있는 수업이 될 것이다.

일본이 왜 독도를 차지하려고 하나요?

일본은 독도가 일본의 고유 영토이며, 한국이 불법점거하고 있다고 교과서에 그 내용을 실어 학생들에게 가르치고 있다. 그렇다면 일본은 왜 이렇게 억지 주장을 하며 독도에 대한 끊임없는 야욕을 보이는 걸까? 독도가 가치는 가치가 커서 그렇지 않을까? 그렇다면 독도는 어떠한 가치를 지니는지 한번 알아보자.

▶경제적 가치

독도는 돈으로 환산할 수 없을 정도로 높은 경제적 가치가 있다. 세계 각국은 해저공물자원 확보를 위해 배타적 경제수역(EEZ) 등 해양의 관할권 확보를 위해 노력하고 있다. 독도에는 제2의 석유라 불리는 미래형 청정 에너지 자원인 '가스 하이드레이트' 가 매장되어 있다. 독도와 울릉도 주변 바다에도 약 6억~10억톤 가량으로 우리나라가 약 40~60년 사용할 수 있는 양이며, 경제적 가치로는 약 250조 원에 달한다고 한다.

가스하이드레이트 매장 예상 지점
(©한국중부발전)

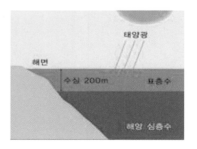

해양심층수 모식도

또한 독도 주변 해수의 90% 이상을 차지하는 해양심층수는 각종 미네랄과 영양염류가 풍부하고 세균이 없는 청정수로 식품, 건강, 에너지 등 다양한 분야에서 활용 가능한 고부가가치 해양자원으로 각광받고 있다.

'미생물이 미래다'라는 주장이 부각되고 있는데, 현재까지 지구상에 존재하는 미생물 중 알려진 미생물은 단 1% 밖에 되지 않는다 한다. 이러한 미생물들은 인류 미래의 가장 중요한 생물 자원으로 떠오르고 있다. 독도 주변해역은 미생물의 보물창고로 지금까지 약 60여종이 발견되었다. 우리 과학자들은 독도 주변에서 발견된 미생물에 '독도'의 이름을 붙여 국제 학술지에 발표하며 알리고 있다.

이 외에도 독도는 지형 특성상 해류의 용승 작용 및 차가운 환류와 따뜻한 난류가 만나는 조경수역으로 어류들의 먹이인 플랑크톤이 매우 풍부해 해양생물의 안성맞춤 서식처로 황금 어장이라 불린다. 우리나라 동해상의 가장 큰 어장인 대화퇴 어장이 독도 인근에 위치하고 있으며 오징어, 꽁치, 방어, 돌돔, 전복, 소라, 해삼, 문어 등의 수산자원들이 풍부한 어장이나, 한·일 양국이 공동 관리하는 중간 수역지역으로, 한·일 양국 어선들이 모두 조업 가능한 지역이기도 하다.

독도에서 최근 발견된 미생물

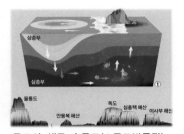

독도의 해류 흐름도(©독도박물관)

▶군사적 가치
  동해는 한국, 일본, 소련의 3개국이 접하고 있는 바다이기에
해상통제권 확보가 지역안보에 미치는 영향력은 매우 크다고 할 수
있다.

  독도라는 섬 그 자체는 매우 작지만 동해의 중심에 위치하고 있는
지리적 조건 때문에 동해의 길목을 쉽게 지킬 수 있는 전략적
요충지이다. 독도를 지배하는 국가는 주변국의 해군활동을 감시하고
견제할 수 있는 위치를 점유하게 되며 유사시 해상교통로에 대한
영향력도 행사할 수 있다.

  러일전쟁 초기에 일본 해군은 서해안에서는 기선을 잡았지만
러시아의 블라디보스톡 함대에 의해 동해의 제해권을 장악하지
못하였다. 위기를 느낀 일본 해군은 모든 군함에 무선 전신을
설치하고, 러시아 함대의 동태를 감시하기 위해 울진군 죽변에
망루를 설치하였다.
  이후 추가로 울릉도 동북부와 서북부에 각각 망루를 설치하고,
죽변 망루와 울릉도 망루를 연결하는 해저 전선을 완공하였다.
이러한 맥락에서 독도가 군사·안보적으로 매우 적절하게 사용할 수
있는 전략적 요충지로서, 조기경보 기지, 작전기지 등 다양한
분야에서 활용 가능하다.

죽변-울릉도-독도-마쓰에 해저전선 설치도

동해에 설치된 해저 전선

▶생태학적 가치

독도는 울릉도와 함께 동해 해양생태계의 오아시스라 불린다.
한류와 난류가 교차하는 해역 특성상 한류·난류성 어종 등 약
180여종의 어류가 관찰되고 전복, 홍합 등 450여 종의
해양무척추동물이 서식하고 있다. 특히, 독도연안의 해조상은 동해
연안이나 남해안, 제주도와 구별되는 독특한 생태계 특성을 보여
독립 생태계 지역으로 분할이 제안될 정도로 특유의 생태계를
구성하고 있다.

울릉도와 함께 독도는 동해 한가운데 자리 잡은 섬이라는 특성상
뭍해양 생물들에게 휴식처 및 서식지를 제공함으로써 사막의
오아시스와 같은 역할을 하고 있다. 이러한 가치들을 인정받아
정부에서는 1982년 '천연기념물 336호'로 지정하였다가, 1999년
'독도 천연보호구역'으로 명칭을 변경하였다. 이로 인해 독도는
문화재청의 관리하에 있기도 하여, 각종 개발, 건설 등에 제약을
받기도 한다.

© 사진작가 이정호 님

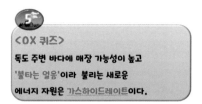

<OX 퀴즈>
독도 주변 바다에 매장 가능성이 높고
'불타는 얼음'이라 불리는 새로운
에너지 자원은 가스하이드레이트이다.

1번에서 5번까지의 O·X 퀴즈 정답을 알아보자.

1번: 독도 앞바다에서 가자미가 많이 난다고 하여 붙여진 독도의
옛이름은 '가지도'이다.

해설: 독도의 옛 이름중 하나인 '가지도'는 강치가 많다고 붙여진
이름이다. 우리 조상들은 강치를 '가지' 또는 '가제'라 불렀다.

정답: 'X' → '태'

2.독도에 대한 최초의 역사적 기록은 <삼국사기>의 기록 이다.

해설: 『삼국사기』권4의 지증왕 13년조에는 하슬라주(지금의 강릉
지역)의 군주인 이사부(異斯夫)가 우산국(于山國)을 복속하였다는
내용이 나온다.
『동국문헌비고』에서는 여지지(輿地志)에 "울릉도와 우산도(독도) 모
두 우산국 땅"이라고 하여 우산국에는 울릉도와 독도가 포함됨을
밝히고 있다. 이로써 우산국이 신라에 복속한 6세기부터 독도가 울
릉도와 함께 우리 역사에 등장하는 것을 알 수 있다. 따라서 독도
에 대한 최초의 역사적 기록은 '삼국사기'이다.

정답: 'O' → '정'

3. 서도의 '주민 숙소'에는 울릉군의 허가를 받으면 사용할 수 있다.

해설: 서도의 주민 숙소는 울릉군에서 관리하고 있다.
2016년 7월 당시 문재인 당시 더불어민주당 (전)대표가 독도를 방문하여 주민숙소 3층 게스트 하우스에서 하룻밤을 지낸 것을 두고 정치적 논란이 일었다. "왜 민간인을 재우느냐?", "나도 하루 재워달라"며 울릉군의 업무가 마비될 정도로 논란이 일었으나, "울릉군의 사전 허가가 있었다. 울릉군의 사전 허가가 있다면 누구나 주민 숙소를 이용할 수 있다."는 울릉군의 공식 입장 발표로 논란의 종지부를 찍었다.

정답: 'O' → '관'

4. 제주도,울릉도,독도는 화산활동으로 만들어진 섬이다. 가장 먼저 생겨난 섬은 <u>울릉도</u>이다.

해설: 독도는 약 460만년전~250만년전, 울릉도는 약 250만년전, 제주도는 150만년전에 생성되었다. 따라서 독도-울릉도-제주도 순으로 생성되었으며, 가장 먼저 생겨난 섬은 독도이다.

정답: 'X' → '문'

5. 독도 주변 바다에 매장 가능성이 높고 '불타는 얼음'이라 불리는 새로운 에너지 자원은 메탄하이드레이트이다.

해설: 독도 주변 바다에 매장 가능성이 높은 자원 중에 하나는 '메탄하이드레이트' 또는 '가스하이드레이트'이다.

정답: 'O' → '서'

1번에서 5번까지의 글자를 조합해 보면 「태·정·관·지·령」이라는 단어가 완성이 된다. 태정관지령이 무엇인지 한번 알아보자.

태정관은 메이지 정부 수립(1867) 이후 1885년까지 일본의 입법·사법·행정의 3권을 장악한 국가 최고 기관이다. 내각제가 시행된 1885년까지 존재하였으며 1889년 '대일본제국헌법'이 제정되면서 일본은 현재의 내각제가 정착되었다.

'대일본제국헌법 제76조 제1항'에는 '법률·규칙·명령 또는 어떤 명칭을 사용했건 간에 본 헌법과 모순되지 않는 현행 법령(태정관 법령)은 모두 따라야 한다.'고 명시되어 있다.

그러면 독도와 관련한 태정관의 입장은 어떠하였을까? 1876년 일본의 시마네현에서 지적 조사를 실시하던 중 울릉도와 독도의 포함 여부에 대해 내무성에 문의하게 된다. 내무성 또한 이 문제가 매우 민감한 사안임에 태정관에 문의하게 된다.

여기서 알 수 있는 점은

①시마네현 역시 1877년까지 독도를 일본 영토로 인지하지 못하였고

②이는 독도가 일본 고유영토라 주장하는 논리의 모순이 된다.

내무성의 문의를 받은 태정관에서는 다음과 같은 지시를 하게 된다. '죽도(울릉도) 외 1도는 본방(일본)과 관계 없다는 것을 명심할 것'. 이 문서가 1987년 세상에 공개되면서 한일 양국의 학자들은 열띤 논쟁을 벌이게 된다. 한국의 학자들은 "태정관에서도 울릉도와 독도가 일본과 관계없는 땅임을 증명했다."고 주장하는 반면, 일본

학자들은 " 외1도가 어떻게 독도를 의미하는가? 울릉도 주변에
관음도, 죽도 등 울릉도 인근의 섬을 두고 하는 말이지 않는가?"
하며 반박하기에 이르렀다.

 하지만 이 논란은 2006년 태정관 지령의 부속지도인
'기죽도약도'가 공개되면서 논란이 종결되었다. 기죽도약도의 지도를
보면 울릉도 외 1도의 1도는 독도임이 명확해졌기 때문이다.
1877년 당시의 일본 지도 기술은 이미 현대화된 지도 기술법을
사용하였는데, 그 측량, 방위, 축적 등으로 미루어 볼 때 '외1도'는
'독도'임이 명확하다. 현재 일본은 태정관문서와 기죽도약도에 대해
일반인의 열람을 금지하고 있다.

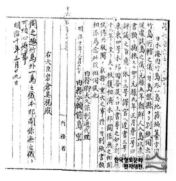

태정관 문서

기죽도약도에 표시된 독도

 우리나라에는 삼국사기부터 무수히 많은 역사서와 고지도에
울릉도와 독도가 한국땅임을 기록하고 있는 반면 일본은
1905년까지는 독도가 일본의 영토가 아니라는 다수의 기록이
있으며, 1905년부터 그 침략의 야욕을 본격화하였다.

일본의 지속적인 독도 영유권 주장의 표면적인 이유는 크게 3가지이다. ①1905년은 '나카이요자부로'라는 일본 수산업자의 강치에 대한 독점, ②1904~1905 발발한 러·일 전쟁에서의 군사적인 목적, ③1994년 UN해양법협약에 따른 200해리의 배타적경제수역으로 인한 해양 자원의 확보의 이유로 독도에 대한 끊임없는 도발을 지속하고 있다.

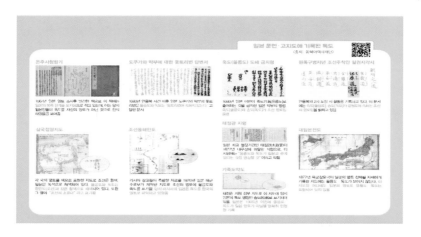

일본이 독도의 야욕을 드러내는 본질적인 이유를 '정한론'으로 보는 시각도 있다. 이 주장에 따르면 일본이 살아남기 위해서는 대륙으로 진출해야하며 그 시작을 조선을 정벌해야 한다는 것이다.

이러한 정한론을 주장한 대표적인 인물이 '요시다쇼인'이다. 그의 사상을 따른 제자들의 일면을 보면 강화도 조약(1876)체결한 '기도 다카요시', 명성황후 시해사건 주동자인 '이노우에 가오루', 한일합방 체결(1910)한 '이토 히로부미', 청일전쟁 당시 경복궁 점령 사령관이었던 아베 전 총리의 고조 할아버지 '오시마 요시마사', 마루타라고 알려진 생체 실험을 자행한 아베 전 총리의 외할아버지 '기시 노부스케' 등 극우 DNA를 가진 사람들이 일본을 지배하고 있다고 보는 시각도 존재한다.

현재 일본은 2024년부터 사용할 모든 초등학교 교과서에 '독도는 일본의 고유의 영토이며 한국이 불법 점거하고 있다'는 내용이 명시된 채로 가르칠 계획이다. 2005년 시마네현 의회의 '죽도의 날' 통과부터 차근차근 초·중·고등학교 교육기본법 및 학습지도요령을 개정하며 차근 차근 준비한 결과이다. 이에 대해 우리나라 외교부는 일본과의 외교적 마찰을 우려해 독도 문제만 나오면 '조용한 외교'를 강조하며 쉬쉬하며 침묵으로 일관해 오고 있다.

이에 교육을 담당하는 우리 선생님들이 독도에 대해 알고, 현장에서 제대로 학생들을 지도하는 것이 너무나도 중요하고 당연한 책무로 대두되고 있다. 이 책의 2장에서는 독도 교육 활성화를 위한 방안 및 현장에서의 실천 사례에 대해 알아보려 한다.

Ⅱ. 독도교육의 실제

현재 초등학교 교육과정상의 독도 교육은
인성·진로·민주시민·다문화·통일 교육 등 15개의 범교과 학습 주제
중 하나로 의무적 시수 배정이 아닌 각 학교에서의 권장 사항이다.

또한 교육부에서는 독도교육주간을 운영하라고는 하나 연중 1회에
그치며, 독도교육연구학교도 운영하지만 전국에 2개교(2023년
기준)에 그치고 있다. 또한 독도지킴이동아리 운영학교를 모집하여
운영하고 있으나, 목적사업비 운영비 100만원을 때문에
「계획서-학생들과의 동아리 활동- 결과보고서 제출」의 일련의
행정과정을 열정하나로 신청하시는 선생님들도 그리 많치 않은
실정이다.

그리하여 일선 학교현장에서는 일회성 행사에 그치는 독도 교육,
지식 전달 중심의 강의식 독도 교육으로 독도교육이 활성화되고
있다고 보기에 힘들다.

독도 교육이 활성화되기 위해서는 교육부가 앞장서서 체계적인
독도교육과정을 개발하여야 하며, 학교에서는 교과와 연계한
지속적인 독도 교육이, 그리고 지식 전달 중심의 강의식 독도교육이
아닌 학생 참여형 독도 교육이 필요하다.

이러한 학생 참여형 독도 교육을 위해서는
① 교사의 전문성 향상
② 독도 교육 환경 조성
③ 독도 수업 자료개발 및 적용
④ 학생 참여형 독도 체험 활동 이 이루어져야 한다.

1. 교사의 전문성 향상

독도 교육을 가장 잘 할 수 있는 사람은 '우리반 선생님'이다. 선생님들의 독도 교육의 역량이 향상되어야 독도 교육이 활성화 될 수 있다. 선생님들은 교사 양성기관(교육대학교, 사범대학교)에서 가르치는 방법(PK:Pedagogical Knowledge, 교수 방법 지식)과 교과 내용(CK: Contents Knowledge, 내용 지식)에 대해서 배운다.

선생님들은 그 반 학생들의 성향, 학습 태도와 친밀한 유대관계(rapport) 형성이 가장 잘 된 전문가이다. 하지만 독도교육에 대한 교과내용지식(CK)은 양성기관의 교육과정에는 포함되어 있지 않다.

즉 "독도에 대해 배우지 않은 교사가 독도교육을 실시하고 있는 현실"이다.

교사들은 그들 스스로의 노력과 연구를 토대로 독도교육을 실시하여야 하지만, 과도한 업무의 홍수 속에서 독도교육까지 매진하기란 쉽지않은 상황이다. 이러한 문제점을 해결하고 독도교육의 활성화를 위해서는 교사 양성기관, 신규교사 연수 등 다양한 교사의 독도에 관한 역량이 향상될 수 있도록 제도적 마련이 있어야 할 것이다.

교사 개인의 노력의 일환으로는 교내 자율 장학 및 연수, 전문가 초청 컨설팅, 원격 직무연수 수강, 독도 서적 탐독 등을 통한 역량 강화 방법이 있다. 원격연수를 통한 교사 역량 강화를 위한 연수과정이 개설되어 있어 누구나 관심과 열정이 있다면 쉽게 접근할 수 있을 것이다.

중앙교육연수원에 독도 관련 원격연수가 2개의 과정이 개설되어 있으며, 경상북도 사이버독도학교에서도 초·중·고급의 독도 역량강화 연수가 있으니, 독도에 대한 교과내용지식(CK)도 함양하고, 직무연수 시간으로 인정도 되니 한번 도전해 보길 바란다.

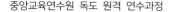

중앙교육연수원 독도 원격 연수과정	경상북도교육청 사이버독도학교 독도교실

교사 개인의 노력으로 한계를 느낀다거나, 다양한 체험 위주의 독도 교육을 원한다면 독도 또는 해양 관련 유관기관에 협조를 요청하는 것도 좋은 방법이다. 아래 표와 같은 기관은 국가 또는 지방정부의 예산으로 운영되는 기관으로 각 기관의 주요 운영 목표는 다르겠지만 궁극적인 목적인 미래인재 양성으로 똑같을 것이다.

이러한 기관들은 나름 기관들의 실적과도 연계가 되기 때문에, 언제든지 학교 현장에서 도움을 요청하면 기꺼이 도움을 줄 것이다. 본 교사도 아래의 기관들과 연계하여 다양한 독도·해양교육활동을 펼쳤으며, 교사와 유관기관이 협조하여 학생들에게 더 좋은 환경과 교재를 활용한 교육환경을 제공함으로써 학생들이 즐겁게 참여하는 활동 중심의 독도 교육이 이루어졌다.

독도 교육 협조 가능한 유관기관　　　　전국의 독도체험관 현황

기관명	위치	지원 및 체험 가능한 내용
국립해양과학관	경북 울진군 죽변면	·해양교육 상설 전시관 운영 ·다양한 해양교육 및 독도 교육 지원 ·해중 전망대 운영
국립청소년해양센터 National Youth Ocean Center	경북 영덕군	·찾아가는 해양교육 교실(공문 참고) ·다양한 해양교육 및 독도 교육 지원 ·해양교육 교원 연수 지원
(재)독도재단 Dokdo Foundation	경북 포항시	·찾아가는 독도 전시관 운영 ·독도 특강 및 골든벨행사 지원 ·다양한 해양교육 및 독도 교육 지원 ·K-독도 유튜브 채널 운영
동북아역사재단 NORTHEAST ASIAN HISTORY FOUNDATION	서울시 서대문구	·독도체험관 상설 전시 ·유튜브 채널 운영 ·다양한 독도교육 자료 및 지도자료 제공 ·독도 교원 연수 및 독도 탐방 기회 제공
독도박물관 Dokdo Museum	경북 울릉군	·다양한 독도교육 자료 및 지도자료 제공 ·독도 교원 연수 및 독도 탐방 기회 제공 ·전시 해설 학예연구사 상시 상주 ·안용복 기념관(울릉군 북면) 운영

2. 교내외 독도 교육 환경 조성

 독도 교육을 함에 있어 가장 좋은 것은 자주 그리고 지속적으로
접하는 환경을 조성하는 것이다. 교실, 복도, 학교 여유 공간을
활용하여 독도 교육 환경으로 조성한다면 어떨까?

 독도교육주간이나 독도의날 행사 시 학급에서 독도 관련
문예행사를 많이 할 것이다. 학생들의 시를 업체에 맡겨 시화 작업
후 전시한다면 멋진 작품으로 탄생하여 독도 환경 조성에 도움이 될
것이다. 그리고 독도 교육자료를 (재)독도재단 또는
경상북도사이버독도학교와 같은 사이트에서 협조를 구하여 복도
벽면에 전시를 한다면, 학생들은 수시로 독도에 관람하며 독도에
대해 좀 더 친숙하게 알 수 있을 것이다.

독도 문예작품 시화 예시 및 영상자료 링크

독도 환경판 예시

　학교 공간에 여유 공간이나 짜투리 공간이 있다면 위의 자료들을 활용하여 독도 전시관으로 운영해도 괜찮을 것이다. 그리고 학교 예산이 허락한다면, 노후 담장을 독도 담장 벽화로 꾸며보는 것도 학생들에게 독도 교육환경을 조성하는 좋은 사례가 될 것이다.

여유 공간을 활용한 독도 전시실(울진 평해초) 및 독도 교실(경산 봉황초)

노후 담장을 독도로 꾸민 독도 담장 벽화(울진 평해초)

　공공기관이나 학교에는 실외 게양용 깃발 깃대봉이 3개가 있다.
태극기와 교기를 제외한 나머지 1개의 기에 대해선 경상북도의
경우 새마을기를 달고 있다. 이 3번째 자리에 '독도수호기'를 달면
어떨까? 실제 울릉초(울릉군), 평해초(울진군), 감포초(경주시) 3개의
학교장이 협의하여 동시에 독도수호기를 게양한 사례가 있었다.
학생들은 태극기와 함께 독도수호기를 보며, 독도 수호의지를
함양하는 것과 동시에 독도는 대한민국 땅임을 명확하게 각인시키는
계기가 될 것이다.

좌측부터 평해초, 감포초, 울릉초의 독도수호기 게양식 모습

3. 독도 수업 자료개발 및 적용

많은 선생님들은 독도에 대한 지식이 부족하다고 느껴 어려움을 토로한다. 다음의 예시를 보면 독도 수업이 크게 어렵지 않을 것이다. 독도 수업으로 활용가능한 시간은 교과시간과 창의적체험학습 범교과 시간이다. 교과시간에서 활용하는 방법은 프로젝트 수업 또는 매 차시의 수업 주제를 재구성하여 독도의 주제로 수업을 하는 것이다.

▶교과와 연계한 독도 교육 프로그램 _ 유치원 예시

독도 친구들의 숨바꼭질(유치원)

차 시	활동 유형	학습 내용
1	동화	'독도 친구들의 숨바꼭질' 창작 동화 감상하기
2~4	이야기 나누기	동화 속 인물들의 역할 나누고 대사 정하기
5~7	조형 활동	동극 공연에 필요한 소품과 배경 만들기
8	동작 활동	초대장 만들기
9	동극	관객들을 초대하여 동극 선보이기

1단계: 창작 동화 감상하기

2단계: 역할 분담 및 대사 연습

3단계: 배경과 소품 만들기

4단계: 동극 선보이기

▶교과와 연계한 독도 교육 프로그램 _ 6학년 국어 '비유적 표현을 사용하여 시를 써 봅시다.'

차 시	교 과	학 습 내 용
1~2	국 어	비유하는 표현 알아보기
3~4	국 어	비유하는 표현을 살려 독도 사랑 시 쓰기
5~6	미 술	시의 내용에 어울리는 시화 제작하기
7	음 악	시 낭송에 어울리는 배경음악 선정하기
8~9	국 어	독도 사랑 시 낭송회 및 시화전 열기

1단계: 비유적 표현의 시 적기(국어)　　2단계: 시화로 표현하기(미술)

3단계: 시낭송의 배경음악 고르기(음악)　　4단계: 독도 사랑 시낭송회(국어)

창의적체험학습의 범교과 속 '독도'의 차시는 각 지역 교육청마다 차이가 있다. 심지어 독도교육이 필수가 아닌 권장의 영역이라 아예 없는 시군도 있을지도 모르겠다. 경상북도의 경우 1학년~3학년까지는 권장으로, 4학년~6학년까지는 필수로 운영하도록 지침이 있다.

선생님들을 지원하고자 동북아역사재단에서는 6학년 학생들을 대상으로 독도 PDF파일을 지원하며, 경상북도교육청에서는 4~5학년 학생들에게 독도 교재를 각 학교에 지원하고 있다.

교육부에서도 학교급별 독도교육내용체계를 제시해 두었으나, 초·중·고등학교 학교급별 내용요소만 있어 계열성과 위계성에 있어 크게 도움이 되지 않는다.

교육부의 내용체계표를 초등학교 1학년~6학년까지 성취기준을 세분화하여 학년에 맞게 점진적인 내용의 심화 및 확대가 되도록 만들어 10차시 분량의 지도안을 만들어 보았다.

자세한 지도 자료는 「경상북도교육청사이버독도학교 – 독도교육자료실 – 교수·학습 자료」 또는 아래 표의 QR코드로 확인하기 바란다.

학년	탑재 위치	QR코드	탑재 위치

4. 학생 참여형 독도 체험 프로그램

▶독도 플레시몹

체육시간 준비운동을 국민체조나 새천년건강체조를 많이들 하고 있을 것이다. 체육시간 준비운동 또는 중간놀이 시간에 '독도는 우리땅!' 음악을 틀어두고 독도플레시몹을 한다면 어떨까?

이렇게 독도 플레시몹에 익숙해진다면 운동회 등의 각종 학교 행사시에도 멋진 공연이 나올 수 있으며, 학생들은 독도와 친숙해지고 독도 수호의지가 함양될 것이다.

운동회 때 준비운동 독도 플레시몹

독도에서 실시한 독도 플레시몹

▶독도의 날(10월 25일) 독도 축제 운영

매년 독도 교육주간 혹은 독도의 날이 다가오면 독도교육 업무 담당자는 스트레스를 많이 받을 것이다. 이날을 모두가 즐기는 축제의 날로 운영하면 어떨까?

대부분의 학교에서는 독도 골든벨 행사를 운영할 것이다. 독도 골든벨도 교사가 조금만 수고들 더한다면 학생·학부모·교사 모두가 즐길 수 있는 축제의 장이 될 수 있다.

평해초등학교에서는 체험 부스형 독도의 날 행사를 진행하였다. 핀버튼 만들기, 해양미생물 관찰하기, 독도퍼즐 만들기, 독도사랑 핀버튼 만들기, 학무모회 지원(재료 예산은 학교 예산으로)으로 간식 부스 체험 등 총 6개의 부스를 설치하였다. 학생들은 독도 골든벨 참가로 획득한 쿠폰을 활용하여 학부모회 어머니들이 정성으로 만든 간식을 이용할 수 있는 축제형 독도의 날을 기획하여 운영하였다.

독도 체험 부스 및 골든벨 행사 장면

봉황초등학교에서는 독도의 날 행사로 3가지 행사로 진행하였다. 독도 골든벨, 경상북도사이버독도학교 이수증 추첨 이벤트, 그리고 '독도는 우리 땅' 큰 소리로 외치기 활동을 하였다.

독도 골든벨은 학년별로 실시하였으며, 독도에 대해 꼭 알아야 할 내용들을 위주로 문제를 구성하였다. 골든벨 문항은 「경상북도교육청사이버독도학교-독도교육자료실-독도갤러리-영상」에 탑재된 문항을 참고하기 바란다.

경상북도교육청사이버독도학교 이수증 추첨 이벤트는 응모함에
사이버독도학교의 독도 교실 초급과정을 이수한 이수증을 모아서
추첨하여 선물을 지급하는 형식으로 진행하였다. 학생이 초급 과정을
응모하면 응모권 1장, 중급과정까지 이수하면 응모권 2장,
고급과정까지 이수하면 응모권 3장을 응모함에 넣어 당첨 확률이
높아지기에 학생들의 적극적인 참여 동기가 유발되었다.

'독도는 우리땅' 큰소리 외치기는 소음 측정기(dB측정기)를
활용하여 '독도는 우리땅'을 크게 외치는 학생에게 상품을 지급하여
학생들이 재미있게 참여하였다.

이날 각 분야 1등 선물로는 1m 크기의 강치 인형을 증정하여
학생들의 참여 열기가 매우 높았다.

골든벨 행사 장면 및 강치인형 시상장면

▶3D 프린터를 이용한 독도 모형 만들기

2014년 범정부 차원의 3D프린터 사업이 보급된 후 전국의 약
43% 학교에 보급되어 있다.(2020년기준) 이 3D프린터가 방치되어
있지는 않는지? 3D프린터를 활용하여 독도 모형을 만들고, 동도와
서도 사이에 다리를 만들어 보았다.

"독도를 개발할까? 보존할까?"라는 주제로 수업하기도 좋고, 드론을 날려 헬기장에 착륙시키는 활동 등 다양한 학생 참여형 독도 교육의 장으로 활용할 수 있었다. 3D 독도 모형 제작 순서와 방법은 아래의 영상을 검색해 참고하기 바란다.

「3D 프린터로 독도 만들기」

▶폐플라스틱 활용 강치 만들기

요즘 지구환경교육에 대한 열풍이 뜨겁다. 현세대와 차세대의 모든 세계인이 지구 환경에 대한 올바른 가치관을 가지고 이를 담당할 수 있는 환경 교육이 절실이 요구되고 있는데, 독도 교육과 환경 교육을 접목하여, 폐플라스틱을 활용하여 독도 강치를 만들어 보았다. 한 학기동안 환경교육의 중요성을 일깨워 주고 분리수거된 폐플라스틱을 모아, 학생들과 함께 폐플라스틱 강치 모형을 만들어 보았다. 비록 정교한 모양의 강치가 완성되지는 않았지만 환경교육, 독도교육 두 교육을 함께 할 수 있는 계기가 되었다.

폐플라스틱 활용한 환경·독도교육　　　폐플라스틱을 활용한 강치 모형

▶독도 수호 다짐 손도장 찍기

독도를 수호하는 손도장 또는 지장찍기 활동은 어떨까? 인쇄소에 도안을 요청하면 한 장당 2만원 수준에서 아래 그림과 같은 대형 현수막을 인쇄해 준다. 학생들이 저마다 독도수호를 다짐하는 의미의 손도장 찍기를 통해 학생 참여형 독도 체험을 진행할 수 있다. 완성된 작품을 활용하여 '독도 지킴이 수호 캠페인'등 다양하게 활용해 보길 바란다.

대형 현수막에 독도 수호 손도장 찍기

독도 수호 캠피인 행사

▶독도 탐방

'독도 교육 활성화를 위해 가장 좋은 방법은 무엇일까?', '독도 교육에서 가장 효과적인 방법은 무엇일까?' 이 두가지 주제로 최근 몇 년간 무수히 많은 학술대회 등이 열렸고 그곳에 참가하여 방안을 제시하였다. 가장 좋은 방법은 학생들이 직접 독도를 탐방해 보는 것이다.

많은 제약이 따르겠지만, 기회가 주어진다면 학생들에게 정말 의미있는 울릉도·독도 탐방이 이루어지도록 노력해 보자. 대부분의 학교 또는 교육청에서는 독도 탐방을 여행사에 일임하여 위탁 운영한다. 하지만 울릉도 독도와 관련하여 학생들을 위한 여행 상품은 없다.

학생들의 여행 일정은 성인들의 관광 일정과 달리 교육적 효과가 있어야 한다. 직접 계획을 짜고 체험학습을 운영하는 것도 한 방법이지만, 교육적 일정과 체험장소 등을 선정한 뒤 여행사에 이 일정으로 진행해 달라고 요청하는 방법이 있다.

2017년~2019년까지 울릉도·독도 체험학습 일정은 아래와 같으며, 세부적 체험학습 일정은 영상을 검색하여 확인해 보기 바란다.

울릉도·독도 체험학습 일정시 참고 사항

울릉도·독도 체험학습 활동 모습   교육적 독도체험학습 참고 영상

　이상으로 독도 교육 활성화를 위한 독도 교육에 대한 이론과 실제 현장에서 활동한 사례들에 대해 알아보았다.

　위와 같은 활동을 통하여 학생들은 독도에 대한 관심과 학습 의지가 높아졌고, 독도 교육활동의 주체게 되어 독도 교육에 있어 배움의 즐거움을 느끼게 되었으며 이는 곧 독도 수호 역량이 향상으로 이어졌다. 또한 독도교육은 4학년~6학년에만 국한되는 것이 아니며, 유치원에서 전 학년에 걸쳐 이루어질 수 있음 또한 알게 되었다.

선생님들을 만나서 이야기를 들어보면 막상 독도교육을 하려면 자료도 부족하고 독도에 대해 잘 알 수 있는 교육적 홈페이지가 부족하다고 호소한다. 하지만 독도 관련 연구원들을 만나보면 이미 양질의 독도 자료는 매우 많이 개발되어 있는데 현장에서 활용이 부족하도고 이야기한다.

실제로 '동북아역사재단', '경상북도사이버독도학교', '독도박물관', '외교부 독도'와 같은 여러 기관에서 양질의 자료들을 많이 개발하여 탑재하고는 있지만 학교 현장에서는 여러 곳에 분산되어 있고 막상 내가 원하는 자료를 찾을 수 있는 접근성이 매우 떨어지고 있는 실정이다.

이러한 불편함을 해소하기 위해 모든 독도에 관한 자료들을 하나의 기관에서 통합하여 관리하는 시스템이 필요하다. 「독도」라는 하나의 홈페이지를 통해 일반인, 학생, 교사 등 모두에게 필요한 자료들을 통합한 시스템의 구축이 필요하다고 생각된다.

앞에서 이야기 하였듯
우리 반 학생들에게 독도 교육을 가장 잘 할 수 있는 사람은 바로 「우리 반 선생님」이다.

선생님들이 독도에 대해 잘 알고 이해하고 있어야 독도 교육이 활성화 될 수 있다. 이를 위해서는 교사 양성기관에서 독도 교육이 선행되어야 할 것이다. 교육대학교, 사범대학교에서의 독도 교육과정 개설, 신규교사 연수 또는 1급정교사 연수에서도 독도 교육에 대한 과정을 개설하여 교사의 독도에 대한 전문성 개발에 노력을 기울여야 한다.

마지막으로 해양에 대한 교육이 확산되어야 한다. 역사적으로 해양을 개척하고 바다에 대한 영향력이 강했던 국가들이 강대국으로 군림하였다. 우리 역사에서도 신라시대는 해양 패권이 가장 빛났던 시기이다. 해상왕 장보고가 세계를 무대로 활발한 무역을 펼쳤을 뿐 아니라, 삼국통일을 완성한 신라 문무왕은 우리나라 역사상 최초의 해양행정기관인 선부를 선립하고 바다를 통해 활발하게 국제교류 활동을 펼쳤던 대왕이다.

바다를 멀리해서는 강대국으로의 부상은 기대하기 어렵다. 대한민국은 3면이 바다로 둘러쌓인 천혜의 조건을 갖추고 있으나, 해양교육에 대해선, 2015 개정교육과정에서는 완전히 사라져, 일선 학교에서는 해양교육을 해야 할 근거 조차 없는 실정이다.

해양의 중요성을 인식하고, 그 시작을 독도 교육부터 시작해 나가야 할 것이다.

" 바다도 영토다"

Ⅲ. 독도 교육 참고 자료
1. 학년별 독도 내용 체계 및 평가기준
2015 개정 교육과정 범교과 학습 주제 교수학습
독도 교육 영역별 성취 기준

1.독도 교육의 목적

독도가 역사·지리·국제법적으로 우리 영토인 근거를 정확하고 체계적으로 이해함으로써, 우리 영토에 대한 올바른 수호 의지를 갖추고, 미래 지향적인 한일 관계에 적합한 세계 시민 의식을 함양한다.

2. 유·초등학교 독도 교육의 목표

독도의 자연 환경, 지리와 역사적 특성을 이해함으로써 우리 땅 독도에 대한 관심과 애정을 갖고 독도 수호의지를 다진다.
  가. 독도의 자연 환경 및 지리적 특성에 대한 기본 이해를 통한 독도 중요성 인식
  나. 독도의 역사와 독도를 지키기 위한 인물들의 노력 이해
  다. 독도에 대한 지속적인 관심 갖기를 통한 나라 사랑 의식 함양

3. 범교과 주제학습 독도 교육 영역별 성취 기준

Ⅰ. 국토 이해 교육	[독도-01-01] 독도의 지리적·수리적 위치와 행정구역 상 위치를 알고 이야기 할 수 있다. [독도-01-02] 독도의 영역(영토, 영해, 배타적 경제수역)에 대해 알고 이야기 할 수 있다. [독도-01-03] 독도의 모양과 크기를 알고 독도 섬의 구성 및 주요 바위를 안다. [독도-01-04] 독도 화산섬의 형성과정과 그 특성을 알고, 해저 지형 및 해산을 안다. [독도-01-05] 독도의 기후(연중 기온, 강수량)에 대해 설명 할 수 있다. [독도-01-06] 독도의 주요 시설물의 이름과 그 역할을 설명할 수 있다.
Ⅱ.독도 이해 교육	[독도-02-01] 독도 주변 동·식물, 수산자원 및 지하자원 등 독도의 가치를 알고 있다. [독도-02-02] 독도 지명의 유래에 대해 알고 독도의 옛 이름 및 외국 명칭에 대해 안다. [독도-02-03] 우리나라·일본·외국의 독도 관련 문헌과 고지도를 보고, 독도가 예로부터 우리 영토이었음을 이해한다. [독도-02-04] 독도와 관련된 인물들에 대해 알고 업적 및 역할에 대해 안다. [독도-02-05] 독도를 지키기 위한 정부, 지방자치단체의 다양한 활동을 이해하고, 독도지킴이 참여 방안에 대해 이야기 할 수 있다.
Ⅲ. 독도 사랑 교육	[독도-03-01] 독도와 주변 바다의 동·식물을 사랑하고 아끼는 태도를 지닌다. [독도-03-02] 독도를 지켜주신 많은 분들을 기억하고, 감사하는 마음을 갖는다. [독도-03-03] 다양한 측면에서 독도의 가치를 파악하고 소중히 여기는 태도를 지닌다. [독도-03-04] 독도 영토 수호의지를 다양한 방법으로 표현하고 알리는 태도를 지닌다. [독도-03-05] 독도 자원 보호를 위해 우리가 할 수 있는 일에 대해 다양한 방법으로 표현한다.

4. 학년 군별 독도 교육 영역별 성취 기준 및 평가 기준

가. 유치원 독도 교육 영역별 성취 기준 및 평가 기준

영 역	독도 교육 성취기준
I. 국토 이해 교육	[유-독도-01-01] 독도가 우리 나라 동해(동쪽)에 위치한 것을 그림 지도를 보고 알 수 있다.
	[유-독도-01-03] 독도가 동도와 서도로 이루어 짐을 알고 여러 개의 바위가 있음을 안다.
	[유-독도-01-04] 이야기를 듣고 독도가 제주도, 울릉도와 비교하여 가장 오래된 섬임을 안다.
	[유-독도-01-06]독도에 여러 가지 시설물들이 있음을 그림과 이야기를 듣고 안다.
II.독도 이해 교육	[유-독도-02-01]독도에는 동물 강치, 괭이 갈매기 같은 동물과 물고기가 살고 있음을 안다.
	[유-독도-02-02]독도의 옛 이름이 여러 가지 있었다는 사실을 안다.
	[유-독도-02-04]독도를 지켜온 인물 「이사부」, 「안용복」 이야기를 듣고 인물에 대해 안다.
III. 독도 사랑 교육	[유-독도-03-01]독도 및 독도의 동·식물을 사랑하고 아끼는 태도를 지닌다.
	[유-독도-03-02]독도를 지켜주시는 분들을 기억하고, 감사하는 마음을 갖는다.
	[유-독도-03-04]독도 지키기 그림 일기 쓰기를 통해 영토 수호의지를 가진다.

나. 1~2학년 군 독도 교육 영역별 성취 기준 및 평가 기준

영 역	권장 학년	독도 교육 성취기준		평가 기준
I. 국토 이해 교육	1학년	[1~2독도-01-01] 독도가 우리 나라 동해(동쪽)에 위치하며 그림 지도를 보고 독도가 일본보다 우리나라와 더 가까이 위치해 있는 것을 파악한다.	상	독도의 위치를 정확하게 찾으며 일본과 우리나라 사이의 거리에 대해 파악 할 수 있다.
			중	독도의 위치를 찾으며 일본과 우리나라 사이 거리에 대해 파악 할 수 있다.
			하	독도의 위치를 찾을 수 있다.
		[1~2독도-01-02] 독도는 땅(영토) 이외에 바다(영해) 영역을 가질 수 있음을 이해한다.	상	독도의 영역에는 독도 섬 이외에 바다 영토가 포함됨을 그림에서 찾아 설명 할 수 있다.
			중	독도의 영역에는 독도 섬 이외에 바다 영토가 포함됨을 그림에서 찾을 수 있다.
			하	독도의 영역을 찾아 설명하는데 어려움을 느낀다.
		[1~2독도-01-03] 독도의 모양을 알고 독도 주요 바위 사진을 보고 이름을 안다	상	독도는 동도, 서도 외 89개의 섬으로 구성됨을 알고 주요 바위 사진을 보고 전체 이름을 말할 수 있다.
			중	독도는 동도, 서도 외 89개의 섬으로 구성됨을 알고 주요 바위 사진을 보고 일부 이름을 말할 수 있다.
			하	독도의 주요 바위 사진의 일부 이름을 말할 수 있다.

	2학년	[1~2독도-01-04] 독도가 화산섬이란 것을 알고 제주도, 울릉도와 비교하여 가장 오래된 섬임을 안다.	상	화산섬의 생성원인에 대해 이야기 할 수 있으며, 독도가 가장 오래 된 섬임을 파악 할 수 있다.
			중	화산섬의 생성 원인을 이해하고 있으며, 독도가 가장 오래 된 섬임을 파악 할 수 있다.
			하	독도가 가장 오래 된 섬임을 알고 있다.
		[1~2독도-01-05] 독도는 바다로 둘러싸인 섬임을 알고 섬 생활이 어떨지 상상해 이야기한다.	상	독도의 섬 생활에 대해서 다양한 표현 방법으로 나타내며, 그 이유에 대해 잘 이야기 할 수 있다.
			중	독도의 섬 생활에 대해 그림으로 표현하며, 표현 방법을 설명할 수 있다.
			하	독도의 섬 생활에 대해 표현하나, 연관성이 떨어진다.
		[1~2독도-01-06] 독도에 여러 가지 시설물들이 있음을 그림을 보고 파악한다.	상	독도에 설치된 여러 시설물이 있음을 알고, 시설물의 이름과 역할에 대해 설명 할 수 있다.
			중	독도에 설치된 여러 시설물이 있음을 알고, 시설물의 이름을 이야기 할 수 있다.
			하	독도에 설치된 여러 시설물에 대해 알지만 이름과 역할에 대해 설명하는데 어려움을 느낀다.
II.독도 이해 교육	1학년	[1~2독도-02-01] 독도에는 동물 강치, 괭이 갈매기 외에 다양한 동·식물이 살고 있음을 안다.	상	독도에 사는 다양한 동·식물을 잘 알고 있으며, 사진을 보고 이름과 특성을 파악할 수 있다.
			중	독도에 사는 다양한 동·식물을 알고 있으며, 사진을 보고 이름과 특성을 파악할 수 있다.
			하	독도에 사는 다양한 동·식물을 일부 알고 있으며, 사진을 보고 이름을 파악할 수 있다.
		[1~2독도-02-02] 독도의 옛 이름이 여러 가지 있었다는 사실을 파악한다.	상	독도의 옛 이름을 알고 있으며, 그 이름의 유래에 대해 잘 설명할 수 있다.
			중	독도의 옛 이름을 알고 있으며, 그 이름의 유래에 대해 설명할 수 있다.
			하	독도는 여러 가지 옛 이름이 있음을 알고 있다.
	2학년	[1~2독도-02-03] 국·내외 독도 그림 지도를 보고 독도가 예로부터 우리 영토임을 이해한다.	상	국·내외 독도 그림 지도를 보고, 독도가 예로부터 우리 영토임을 잘 설명할 수 있다.
			중	국·내외 독도 그림 지도를 보고, 독도가 예로부터 우리 영토임을 설명할 수 있다.
			하	국·내외 독도 그림 지도를 보고, 독도가 예로부터 우리 영토로 표현되었음을 알고 있다.
		[1~2독도-02-04] 독도를 지켜온 인물 「이사부」, 「안용복」 이야기를 듣고 인물의 업적에 대해 파악한다.	상	독도를 지켜온 인물 「이사부」, 「안용복」 이야기를 듣고 인물의 이름과 업적에 대해 잘 파악하고 있다.
			중	독도를 지켜온 인물 「이사부」, 「안용복」 이야기를 듣고 인물의 이름과 업적에 대해 파악하고 있다.
			하	독도를 지켜온 인물 「이사부」, 「안용복」 이야기를 듣고 인물의 이름을 안다.
		[1~2독도-02-05] 독도를 지키기 위한 다양한 독도지킴이 단체의 활동에 대해 안다.	상	독도를 지키기 위한 단체의 이름과, 그들의 역할에 대해 잘 파악하고 있다.
			중	독도를 지키기 위한 단체의 이름과, 그들의 역할에 대해 파악하고 있다.
			하	독도를 지키기 위한 단체의 이름을 알고 있다.
III. 독도 사랑	학년 공통	[1~2독도-03-01] 독도 및 독도의 동·식물을 사랑하고 아끼는 태도를 지닌다.	상	독도 및 독도의 동·식물의 가치를 잘 알고 사랑하고 아끼는 태도를 지닌다.
			중	독도 및 독도의 동·식물의 가치를 알고 사랑하고 아끼는 태도를 지닌다.
			하	독도 및 독도의 동·식물을 사랑하는 태도를 지닌다.

교육		[1~2독도-03-02] 독도를 지켜주시는 분들을 기억하고, 감사하는 마음을 갖는다.	상	독도를 지켜주시는 분들의 업적을 잘 기억하고, 감사하는 마음을 갖는다.
			중	독도를 지켜주시는 분들의 업적을 기억하고, 감사하는 마음을 갖는다.
			하	독도를 지켜주시는 분들에게 감사하는 마음을 갖는다.
		[1~2독도-03-03] 독도의 가치를 파악하고 소중히 여기는 태도를 지닌다.	상	독도의 가치를 잘 파악하고 소중히 여기는 태도를 지닌다.
			중	독도의 가치를 파악하고 소중히 여기는 태도를 지닌다.
			하	독도의 가치를 알고 소중히 여기는 태도를 지닌다.
		[1~2독도-03-04] 독도 지키기 그림 일기 쓰기를 통해 영토 수호의지를 가진다.	상	독도 지키기 의지를 그림 일기를 통해 영토 수호의지를 잘 표현한다.
			중	독도 지키기 의지를 그림 일기를 통해 영토 수호의지를 표현한다.
			하	독도 지키기 의지가 그림 일기 쓰기로 표현하는데 어려움을 느낀다.
		[1~2독도-03-05] 독도 자원 보호를 위해 우리가 할 수 있는 일을 그림으로 표현한다.	상	독도를 지키기 위해 우리가 할 수 있는 일에 대해 자세하게 알고, 실천 계획을 세우고 설명 할 수 있다.
			중	독도를 지키기 위해 우리가 할 수 있는 일에 대해 알고, 실천 계획을 세우고 설명 할 수 있다.
			하	독도를 지키기 위해 우리가 할 수 있는 일에 대해 설명 할 수 있다.

다. 3~4학년 군 독도 교육 영역별 성취 기준 및 평가 기준

영 역	권장 학년	독도 교육 성취기준		평가 기준
Ⅰ. 국토 이해 교육	3학년	[3~4독도-01-01] 독도의 위치를 알고 「독도-울릉도」 거리와 「독도-오키 섬」과의 거리를 비교하여 설명한다.	상	독도의 위치를 알고 「독도-울릉도」 거리와 「독도-오키 섬」과의 거리를 비교하여 독도가 우리 땅임을 잘 설명할 수 있다.
			중	독도의 위치를 알고 「독도-울릉도」 거리와 「독도-오키 섬」과의 거리를 비교하여 독도가 우리 땅임을 설명 할 수 있다.
			하	독도의 위치를 찾을 수 있다.
		[3~4독도-01-02] 독도의 영역(영토, 영해)에 대해 이해한다.	상	독도의 영역으로 영토 외에 영해를 가지며, 영해로 인한 이점에 대해 잘 설명할 수 있다.
			중	독도의 영역으로 영토 외에 영해를 가지며, 영해로 인한 이점에 대해 설명할 수 있다.
			하	독도의 영역으로 영토 외에 영해를 가짐을 파악할 수 있다.
		[3~4독도-01-03] 독도 그림이나 사진을 보고 동도와 서도를 구분하며 독도가 총 91개의 섬으로 이루어짐을 설명할 수 있으며 우산봉, 대한봉 외 주요바위 이름을 안다	상	독도는 동도, 서도 외 89개의 섬으로 구성됨을 알고 주요 바위 사진을 보고 전체 이름을 말할 수 있다.
			중	독도는 동도, 서도 외 89개의 섬으로 구성됨을 알고 주요 바위 사진을 보고 일부 이름을 말할 수 있다.
			하	독도의 주요 바위 사진의 일부 이름을 말할 수 있다.
	4학년	[3~4독도-01-04] 독도가 화산 활동에 의한 섬이고 다양한 해산이 있음을 안다.	상	화산섬의 생성원인에 대해 바르게 이야기 할 수 있으며, 제주도, 울릉도와 비교하여 가장 오래 된 섬임을 파악 할 수 있다.
			중	화산섬의 생성원인에 대해 이야기 할 수 있으며, 제주도, 울릉도와 비교하여 가장 오래 된 섬임을 파악 할 수 있다.
			하	독도가 가장 오래 된 섬임을 알고 있다.

		[3~4독도-01-05] 독도의 4계절 사진을 보고 기후(기온, 강수량)의 특징을 이해한다.	상	독도의 4계절 사진을 보고 기후(기온, 강수량)의 특징에 대해 바르게 파악하고 설명할 수 있다.
				중	독도의 4계절 사진을 보고 기후(기온, 강수량)의 특징에 대해 알고 설명할 수 있다.
				하	독도의 기후에 대해 설명하는데 어려움을 느낀다.
		[3~4독도-01-06] 독도에 여러 시설물들의 이름과 역할에 대해 파악한다.	상	독도에 설치된 여러 시설물이 있음을 알고, 시설물의 이름과 역할에 대해 설명 할 수 있다.
				중	독도에 설치된 여러 시설물이 있음을 알고, 시설물의 이름을 이야기 할 수 있다.
				하	독도에 설치된 여러 시설물에 대해 알지만 이름과 역할에 대해 설명하는데 어려움을 느낀다.
Ⅱ. 독도 이해 교육	3학년	[3~4독도-02-01] 독도에는 가스하이드레이트 및 심층수 등 여러 자원이 있음을 안다.	상	독도에는 가스하이드레이트 및 심층수 등 여러 자원이 있으며, 글을 읽고 그 자원의 가치에 대해 바르게 파악할 수 있다.
				중	독도에는 가스하이드레이트 및 심층수 등 여러 자원이 있으며, 글을 읽고 그 자원의 가치에 대해 파악할 수 있다.
				하	독도에는 가스하이드레이트 및 심층수 등 여러 자원이 있음을 안다.
		[3~4독도-02-02] 독도의 옛 이름에는 우산도, 가지도, 석도가 있었음을 알고 지명의 유래에 대해 이해한다.	상	독도의 옛 이름을 알고 있으며, 그 이름의 유래에 대해 잘 설명할 수 있다.
				중	독도의 옛 이름을 알고 있으며, 그 이름의 유래에 대해 설명할 수 있다.
				하	독도는 여러 가지 옛 이름이 있음을 알고 있다.
	4학년	[3~4독도-02-03] 우리나라의 독도 문헌 「세종실록지리지」, 일본의 고문서 「은주시청합기」, 「태정관지령」 해석본 이야기를 듣고, 독도가 예로부터 우리 영토이었음을 안다.	상	국·내외 독도 문헌 해석본을 읽고, 독도가 예로부터 우리 영토임을 잘 파악하여 설명할 수 있다.
				중	국·내외 독도 문헌 해석본을 읽고, 독도가 예로부터 우리 영토임을 파악하여 설명할 수 있다.
				하	국·내외 독도 문헌 해석본을 읽고, 독도가 예로부터 우리 영토임을 안다.
		[3~4독도-02-04] 독도의용수비대, 독도경비대 및 독도 주민 등 다양한 사람들이 살며, 그들의 역할과 업적을 파악한다.	상	독도의용수비대, 독도경비대 및 독도 주민들에 대해 알고, 그들의 업적과 역할에 대해 잘 이해하고 있다.
				중	독도의용수비대, 독도경비대 및 독도 주민들에 대해 알고, 그들의 업적과 역할에 대해 이해하고 있다.
				하	독도의용수비대, 독도경비대 및 독도 주민들에 대해 알고 있다.
		[3~4독도-02-05] 독도를 지키기 위한 단체의 다양한 활동을 알아보고, 독도지킴이 참여 방법을 찾아본다.	상	독도를 지키기 위한 단체의 이름과, 그들의 역할에 대해 잘 파악하고 있다.
				중	독도를 지키기 위한 단체의 이름과, 그들의 역할에 대해 파악하고 있다.
				하	독도를 지키기 위한 단체의 이름을 알고 있다.
Ⅲ. 독도 사랑 교육	학년 공통	[3~4독도-03-01] 독도를 사랑하고 주변 바다 및 동·식물을 아끼고 사랑하는 태도를 지닌다.	상	독도 및 독도의 동·식물의 가치를 잘 알고 사랑하고 아끼는 태도를 지닌다.
				중	독도 및 독도의 동·식물의 가치를 알고 사랑하고 아끼는 태도를 지닌다.
				하	독도 및 독도의 동·식물을 사랑하는 태도를 지닌다.
		[3~4독도-03-02] 독도를 지켜주신 분들을 업적을 알아보고, 감사하는 마음을 갖는다.	상	독도를 지켜주시는 분들의 업적을 잘 기억하고, 감사하는 마음을 갖는다.
				중	독도를 지켜주시는 분들의 업적을 기억하고, 감사하는 마음을 갖는다.
				하	독도를 지켜주시는 분들에게 감사하는 마음을 갖는다.

	[3~4독도-03-03] 다양한 측면에서 독도의 가치를 파악하고 소중히 여기는 태도를 지닌다.	상	독도의 가치를 잘 파악하고 소중히 여기는 태도를 지닌다.
		중	독도의 가치를 파악하고 소중히 여기는 태도를 지닌다.
		하	독도의 가치를 알고 소중히 여기는 태도를 지닌다.
	[3~4독도-03-04] 독도 영토 수호의지를 다양한 방법으로 알리고 홍보한다.	상	독도 지키기 의지를 담은 편지 쓰기 활동을 통해 영토 수 호의지를 잘 표현한다.
		중	독도 지키기 의지를 담은 편지 쓰기 활동을 통해 영토 수 호의지를 표현한다.
		하	독도 지키기 의지를 담은 편지 쓰기 활동을 할 수 있다.
	[3~4독도-03-05] 독도 자원 보호를 위해 우리가 할 수 있는 일에 대해 다양한 방법으로 표현한다.	상	독도 자원 보호를 위해 우리가 할 수 있는 일에 대해 자 세하게 알고, 실천 계획을 세우고 설명할 수 있다.
		중	독도 자원 보호를 위해 우리가 할 수 있는 일에 대해 알 고, 실천 계획을 세우고 설명할 수 있다.
		하	독도 자원 보호를 지키기 위해 우리가 할 수 있는 일에 대해 설명할 수 있다.

라. 5~6학년 군 독도 교육 영역별 성취 기준 및 평가 기준

영역	권장 학년	독도 교육 성취기준		평가 기준
I. 국토 이해 교육	5학년	[5~6독도-01-01] 독도의 지리적·수리적 위치와 행정구역 상 위치를 파악한다.	상	독도의 지리적·수리적 위치와 행정구역 상 위치를 정확하게 알고 설명할 수 있다.
			중	독도의 지리적·수리적 위치와 행정구역 상 위치를 알고 설명 할 수 있다.
			하	독도의 대략적인 위치를 알고 있다.
		[5~6독도-01-02] 독도의 영역(영토, 영해, 배타적 경제수역)에 대해 알 고 이해한다.	상	독도의 영역(영토, 영해, 배타적 경제수역)에 대해 잘 알고 설명할 수 있다.
			중	독도의 영역(영토, 영해, 배타적 경제수역)에 대해 알고 설명 할 수 있다.
			하	독도의 영역(영토, 영해, 배타적 경제수역)에 대해 일부 알고 있다.
		[5~6독도-01-03] 독도의 모양과 크기를 알고 독도 섬의 구성 및 주요 바위를 안다	상	독도의 모양과 크기를 알고 독도 섬의 구성 및 주요 바위의 이름에 대해 정확하게 설명할 수 있다.
			중	독도의 모양과 크기를 알고 독도 섬의 구성 및 주요 바위의 이름에 대해 설명할 수 있다.
			하	독도의 모양과 독도 섬의 구성 및 주요 바위의 이름에 대해 일부 알고 있다.
	6학년	[5~6독도-01-04] 독도 화산섬의 형성과정과 그 특성을 알고, 해저 지 형 및 해산을 안다.	상	독도 화산섬의 형성과정과 그 특성을 잘 알고, 해저 지형 및 해산의 이름을 알고 있다.
			중	독도 화산섬의 형성과정과 그 특성을 알고, 해저 지형 및 해 산의 이름을 알고 있다.
			하	독도 화산섬의 형성과정과 그 특성을 알며, 해산의 이름을 알고 있다.
		[5~6독도-01-05] 독도의 기상 환경(연중 기온, 강수량)에 대해 설명한 다.	상	독도의 기상 환경(연중 기온, 강수량)을 잘 이해하고 그로 인 한 생태 환경 및 생활 방식에 대해 잘 설명할 수 있다.
			중	독도의 기상 환경(연중 기온, 강수량)을 이해하고 그로 인한 생태 환경 및 생활 방식에 대해 설명할 수 있다.
			하	독도의 기상 환경(연중 기온, 강수량)에 대해 이해하고, 그로 인한 생활 환경의 변화가 있음을 안다.

		[5~6독도-01-06] 독도의 주요 시설물의 이름과 그 역할에 대해 안다.	상	독도에 설치된 여러 시설물이 있음을 알고, 시설물의 이름과 역할에 대해 설명 할 수 있다.
			중	독도에 설치된 여러 시설물이 있음을 알고 시설물의 이름을 이야기 할 수 있다.
			하	독도에 설치된 여러 시설물에 대해 알지만 이름과 역할에 대해 설명하는데 어려움을 느낀다.
II.독도 이해 교육	5학년	[5~6독도-02-01] 독도 주변 동·식물, 수산자원 및 지하자원 등 독도의 가치를 파악한다.	상	독도 주변 동·식물, 수산자원 및 지하자원 등 독도의 가치를 파악하고 표현하는 글을 능숙하게 쓸 수 있다.
			중	독도 주변 동·식물, 수산자원 및 지하자원 등 독도의 가치를 파악하고 표현하는 글을 쓸 수 있다.
			하	독도 주변 동·식물, 수산자원 및 지하자원 등 독도의 가치를 파악하고 표현하는데 어려움을 느낀다.
		[5~6독도-02-02] 독도 지명의 유래에 대해 알고 독도의 옛 이름 및 외국 명칭에 대해 안다.	상	독도의 옛 이름을 알고 있으며, 그 이름의 유래에 대해 잘 설명할 수 있다.
			중	독도의 옛 이름을 알고 있으며, 그 이름의 유래에 대해 설명할 수 있다.
			하	독도는 여러 가지 옛 이름이 있음을 알고 있다.
	6학년	[5~6독도-02-03] 우리나라·일본·외국의 독도 관련 문헌과 고지도를 보고, 독도가 예로부터 우리 영토이었음을 이해한다.	상	국·내외 독도 문헌 및 고지도를 보고, 독도가 예로부터 우리 영토임을 잘 설명할 수 있다.
			중	국·내외 독도 문헌 및 고지도를 보고, 독도가 예로부터 우리 영토임을 설명할 수 있다.
			하	국·내외 독도 문헌 및 고지도를 보고, 독도가 예로부터 우리 영토로 표현되었음을 알고 있다.
		[5~6독도-02-04] 독도와 관련된 인물들에 대해 알고 업적 및 역할에 대해 안다.	상	독도와 관련된 인물들에 대해 알고 업적 및 역할에 대해 능숙하게 설명할 수 있다.
			중	독도와 관련된 인물들에 대해 알고 업적 및 역할에 대해 설명할 수 있다.
			하	독도와 관련된 인물들에 대해 일부 알고 업적 및 역할에 대해 설명할 수 있다.
		[5~6독도-02-05] 독도를 지키기 위한 정부, 지방자치단체의 다양한 활동을 이해하고, 독도지킴이 참여 방안을 설명할 수 있다.	상	독도를 지키기 위한 정부, 지방자치단체의 다양한 활동을 잘 이해하고, 독도지킴이 참여 방안에 대해 설명할 수 있다.
			중	독도를 지키기 위한 정부, 지방자치단체의 다양한 활동을 이해하고, 독도지킴이 참여 방안에 대해 설명할 수 있다.
			하	독도를 지키기 위한 정부, 지방자치단체의 다양한 활동을 일부 이해하고, 독도지킴이 참여 방안에 대해 설명할 수 있다.
III. 독도 사랑 교육	학년 공통	[5~6독도-03-01] 독도와 주변 바다의 동·식물을 사랑하고 아끼는 태도를 지닌다.	상	독도 및 독도의 동·식물의 가치를 잘 알고 사랑하고 아끼는 태도를 지닌다.
			중	독도 및 독도의 동·식물의 가치를 알고 사랑하고 아끼는 태도를 지닌다.
			하	독도 및 독도의 동·식물을 사랑하는 태도를 지닌다.
		[5~6독도-03-02] 독도를 지켜주신 많은 분들을 기억하고, 감사하는 마음을 갖는다.	상	독도를 지켜주시는 분들의 업적을 잘 기억하고, 감사하는 마음을 갖는다.
			중	독도를 지켜주시는 분들의 업적을 기억하고, 감사하는 마음을 갖는다.
			하	독도를 지켜주시는 분들에게 감사하는 마음을 갖는다.
		[5~6독도-03-03] 다양한 측면에서 독도의 가치를 파악하고 소중히 여기는 태도를 지닌다.	상	독도의 가치를 잘 파악하고 소중히 여기는 태도를 지닌다.
			중	독도의 가치를 파악하고 소중히 여기는 태도를 지닌다.
			하	독도의 가치를 알고 소중히 여기는 태도를 지닌다.
		[5~6독도-03-04] 독도 영토 수호의지를 다양한 방법으로 표현하고 알리는 태도를 지닌다.	상	독도 지키기 의지를 주장하는 글쓰기를 통해 영토 수호의지를 잘 표현한다.
			중	독도 지키기 의지를 주장하는 글쓰기를 통해 영토 수호의지를 표현한다.
			하	독도 지키기 의지가 주장하는 글쓰기를 표현하는데 어려움을 느낀다.
		[5~6독도-03-05] 독도 자원 보호를 위해 우리가 할 수 있는 일에 대해 다양한 방법으로 표현한다.	상	독도를 지키기 위해 우리가 할 수 있는 일에 대해 자세하게 알고, 실천 계획을 세우고 설명 할 수 있다.
			중	독도를 지키기 위해 우리가 할 수 있는 일에 대해 알고, 실천 계획을 세우고 설명 할 수 있다.
			하	독도를 지키기 위해 우리가 할 수 있는 일에 대해 설명할 수 있다.

2. 학년별 독도 주제통합 지도계획 예시(안)

1학년 독도 주제중심
프로젝트 학습 계획서 (1차)

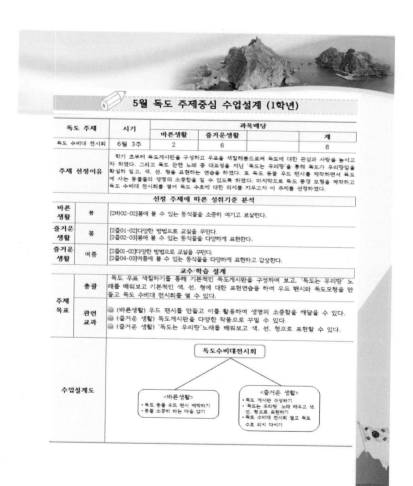

5월 독도 주제중심 수업설계 (1학년)

독도 주제	시기	과목배당			
		바른생활	즐거운생활		계
독도 수비대 전시회	6월 3주	2	6		8

주제 선정이유	학기 초부터 독도게시판을 구성하고 우표를 색칠해봄으로써 독도에 대한 관심과 사랑을 높이고자 하였다. 그리고 독도 관련 노래 중 대표성을 지닌 '독도는 우리땅'을 통해 독도가 우리땅임을 확실히 알고, 색, 선, 형을 표현하는 연습을 하였다. 또 독도 동물 우드 팬시를 제작하면서 독도에 사는 동물들의 생명의 소중함을 알 수 있도록 하였다. 마지막으로 독도 풍경 모형을 제작하고 독도 수비대 전시회를 열어 독도 수호에 대한 의지를 키우고자 이 주제를 선정하였다.

선정 주제에 따른 성취기준 분석

바른생활	봄	[2바02-02]봄에 볼 수 있는 동식물을 소중히 여기고 보살핀다.
즐거운생활	봄	[2즐01-02]다양한 방법으로 교실을 꾸민다. [2즐02-03]봄에 볼 수 있는 동식물을 다양하게 표현한다.
즐거운생활	여름	[2즐01-02]다양한 방법으로 교실을 꾸민다. [2즐04-03]여름에 볼 수 있는 동식물을 다양하게 표현하고 감상한다.

교수·학습 설계

주제목표	총괄	독도 우표 색칠하기를 통해 기본적인 독도게시판을 구성하여 보고, '독도는 우리땅' 노래를 배워보고 기본적인 색, 선, 형에 대한 표현연습을 하여 우드 팬시와 독도모형을 만들고 독도 수비대 전시회를 열 수 있다.
	관련교과	⊙ (바른생활) 우드 팬시를 만들고 이를 활용하여 생명의 소중함을 깨달을 수 있다. ⊙ (즐거운 생활) 독도게시판을 다양한 작품으로 꾸밀 수 있다. ⊙ (즐거운 생활) '독도는 우리땅'노래를 배워보고 색, 선, 형으로 표현할 수 있다.

수업설계도	**독도수비대전시회** <바른생활> • 독도 동물 우드 팬시 제작하기 • 동물 소중히 하는 마음 갖기 <즐거운 생활> • 독도 게시판 구성하기 • '독도는 우리땅' 노래 배우고 색, 선, 형으로 표현하기 • 독도 수비대 전시회 열고 독도 수호 외지 다지기

1학년 독도 주제중심
프로젝트 학습 계획서 (2차)

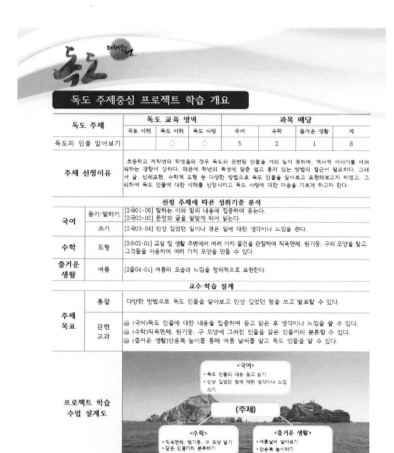

독도 주제중심 프로젝트 학습 개요

독도 주제	독도 교육 영역			과목 배당			
	국토 이해	독도 이해	독도 사랑	국어	수학	즐거운 생활	계
독도의 인물 알아보기		○	○	5	2	1	8

주제 선정이유	초등학교 저학년의 학생들의 경우 독도와 관련된 인물을 거의 알지 못하며, 역사적 이야기를 어려워하는 경향이 강하다. 때문에 학년의 특성에 맞춘 쉽고 흥미 있는 방법의 접근이 필요하다. 그래서 글, 신체표현, 수학적 도형 등 다양한 방법으로 독도 인물을 알아보고 표현해보고자 하였고, 그리하여 독도 인물에 대한 이해를 신장시키고 독도 사랑에 대한 마음을 기르게 하고자 한다.

선정 주제에 따른 성취기준 분석

국어	듣기·말하기	[2국01-05] 말하는 이와 말의 내용에 집중하며 듣는다. [2국02-02] 문장과 글을 알맞게 띄어 읽는다.
	쓰기	[2국03-04] 인상 깊었던 일이나 겪은 일에 대한 생각이나 느낌을 쓴다.
수학	도형	[2수02-01] 교실 및 생활 주변에서 여러 가지 물건을 관찰하며 직육면체, 원기둥, 구의 모양을 찾고, 그것을 이용하여 여러 가지 모양을 만들 수 있다.
즐거운 생활	여름	[2즐04-01] 여름의 모습과 느낌을 창의적으로 표현한다.

교수·학습 설계

주제 목표	총괄	다양한 방법으로 독도 인물을 알아보고 인상 깊었던 점을 쓰고 발표할 수 있다.
	관련 교과	◉ (국어)독도 인물에 대한 내용을 집중하며 듣고 읽은 후 생각이나 느낌을 쓸 수 있다. ◉ (수학)직육면체, 원기둥, 구 모양에 그려진 인물을 같은 인물끼리 분류할 수 있다. ◉ (즐거운 생활)안용복 놀이를 통해 여름 날씨를 알고 독도 인물을 알 수 있다.

프로젝트 학습 수업 설계도

<국어>
· 독도 인물의 내용을 듣고 읽기
· 인상 깊었던 점에 대한 생각이나 느낌 쓰기

(주제)

<수학>
· 직육면체, 원기둥, 구 모양 알기
· 같은 인물끼리 분류하기

<즐거운 생활>
· 여름날씨 알아보기
· 안용복 놀이하기

1학년 독도 주제중심
프로젝트 학습 계획서 (3차)

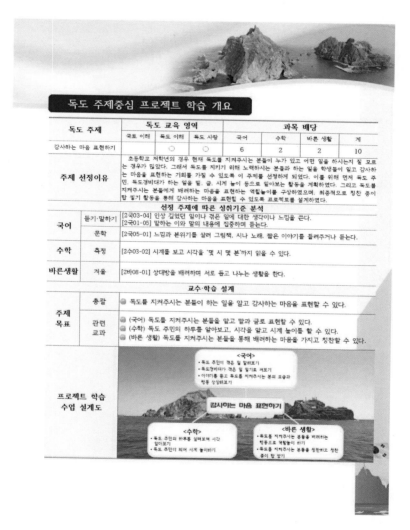

독도 주제중심 프로젝트 학습 개요

독도 주제	독도 교육 영역			과목 배당			
	국토 이해	독도 이해	독도 사랑	국어	수학	바른 생활	계
감사하는 마음 표현하기		○	○	6	2	2	10

주제 선정이유	초등학교 저학년의 경우 현재 독도를 지켜주시는 분들이 누가 있고 어떤 일을 하시는지 잘 모르는 경우가 많았다. 그래서 독도를 지키기 위해 노력하시는 분들과 하는 일을 학생들이 알고 감사하는 마음을 표현하는 기회를 가질 수 있도록 이 주제를 선정하게 되었다. 이를 위해 먼저 독도 주민, 독도경비대가 하는 일을 말, 글, 시계 놀이 등으로 일아보는 활동을 계획하였다. 그리고 독도를 지켜주시는 분들에게 배려하는 마음을 표현하는 역할놀이를 구상하였고, 최종적으로 칭찬 종이탑 쌓기 활동을 통해 감사하는 마음을 표현할 수 있도록 프로젝트를 설계하였다.

선정 주제에 따른 성취기준 분석

국어	듣기·말하기	[2국03-04] 인상 깊었던 일이나 겪은 일에 대한 생각이나 느낌을 쓴다. [2국01-05] 말하는 이와 말의 내용에 집중하며 듣는다.
	문학	[2국05-01] 느낌과 분위기를 살려 그림책, 시나 노래, 짧은 이야기를 들려주거나 듣는다.
수학	측정	[2수03-02] 시계를 보고 시각을 '몇 시 몇 분'까지 읽을 수 있다.
바른생활	겨울	[2바08-01] 상대방을 배려하며 서로 돕고 나누는 생활을 한다.

교수·학습 설계

주제 목표	총괄	● 독도를 지켜주시는 분들이 하는 일을 알고 감사하는 마음을 표현할 수 있다.
	관련 교과	● (국어) 독도를 지켜주시는 분들을 알고 말과 글로 표현할 수 있다. ● (수학) 독도 주민의 하루를 알아보고, 시각을 알고 시계 놀이를 할 수 있다. ● (바른 생활) 독도를 지켜주시는 분들을 통해 배려하는 마음을 가지고 칭찬할 수 있다.

프로젝트 학습 수업 설계도

<국어>
- 독도 주민이 겪은 일 알아보기
- 독도경비대가 겪은 일 글로 써보기
- 이야기를 듣고 독도를 지켜주시는 분의 모습과 행동 상상해보기

감사하는 마음 표현하기

<수학>
- 독도 주민의 하루를 살펴보며 시각 알아보기
- 독도 주민이 되어 시계 놀이하기

<바른 생활>
- 독도를 지켜주시는 분들을 배려하는 탐구로 역할놀이 하기
- 독도를 지켜주시는 분들을 칭찬하고 칭찬 종이 탑 쌓기

2학년 독도 주제중심 프로젝트 학습 계획서 (1차)

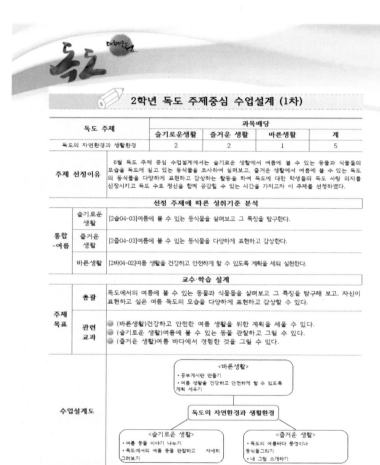

2학년 독도 주제중심 수업설계 (1차)

독도 주제	과목배당			
	슬기로운생활	즐거운 생활	바른생활	계
독도의 자연환경과 생활환경	2	2	1	5

주제 선정이유	6월 독도 주제 중심 수업설계에서는 슬기로운 생활에서 여름에 볼 수 있는 동물과 식물들의 모습을 독도에 싣고 있는 동식물을 조사하여 살펴보고, 즐거운 생활에서 여름에 볼 수 있는 독도의 동식물을 다양하게 표현하고 감상하는 활동을 하여 독도에 대한 학생들의 독도 사랑 의지를 신장시키고 독도 수호 정신을 함께 공감할 수 있는 시간을 가지고자 이 주제를 선정하였다.

선정 주제에 따른 성취기준 분석

통합 -여름	슬기로운 생활	[2슬04-03]여름에 볼 수 있는 동식물을 살펴보고 그 특징을 탐구한다.
	즐거운 생활	[2즐04-03]여름에 볼 수 있는 동식물을 다양하게 표현하고 감상한다.
	바른생활	[2바04-02]여름 생활을 건강하고 안전하게 할 수 있도록 계획을 세워 실천한다.

교수·학습 설계

주제 목표	총괄	독도에서의 여름에 볼 수 있는 동물과 식물들을 살펴보고 그 특징을 탐구해 보고, 자신이 표현하고 싶은 여름 독도의 모습을 다양하게 표현하고 감상할 수 있다.
	관련 교과	● (바른생활)건강하고 안전한 여름 생활을 위한 계획을 세울 수 있다. ● (슬기로운 생활)여름에 볼 수 있는 동물 관찰하고 그릴 수 있다. ● (즐거운 생활)여름 바다에서 경험한 것을 그릴 수 있다.

수업설계도	<바른생활> · 공부게시판 만들기 · 여름 생활을 건강하고 안전하게 할 수 있도록 계획 세우기 독도의 자연환경과 생활환경 <슬기로운 생활> · 여름 동물 이야기 나누기 · 독도에서의 여름 동물 관찰하고 자세히 그려보기 <즐거운 생활> · 독도의 여름바다 풍경이나 동식물그리기 · 내 그림 소개하기

2학년 독도 주제중심
프로젝트 학습 계획서 (2차)

독도 주제중심 프로젝트 학습 개요

독도 주제	독도 교육 영역			과목 배당			
	국토 이해	독도 이해	독도 사랑	국어	즐거운생활	바른생활	계
독도 이해하기	○	○	○	4	2	1	7

주제 선정이유	독도 수호의 첫 걸음은 우선 독도에 대해 많이 아는 것이다. 독도를 알아가는 가장 효과적인 방법은 학생들이 독도에 대해 관심을 갖고 자신이 생각한 독도의 모습대로 그리고 정리하고 만들기 등을 하여 이를 다른 학생들에게 발표하면서 독도에 대해 생각하는 시간을 많이 갖는 것이다. 이번 독도 주제중심 프로젝트 학습에서는 다양한 시각에서 독도와 관련된 글쓰기와 만들기를 소개하는 자료를 제작하고 이를 공유함으로써 학생들의 독도 이해를 신장시키고자 한다.

선정 주제에 따른 성취기준 분석

국어	쓰기	[2국03-02] 자신의 생각을 문장으로 표현한다.
	읽기	[2국02-03] 글을 읽고 주요 내용을 확인한다.
	문학	[2국05-02] 인물의 모습, 행동, 마음을 상상하며 그림책, 시나 노래, 이야기를 감상한다.
즐거운생활	표현하기	[2즐03-03] 집 안팎의 모습을 여러 가지 방법으로 표현한다.
바른생활	체험	[2바03-02] 가족의 형태와 문화가 다양함을 알고 존중한다.

교수·학습 설계

주제 목표	총괄	독도 관련 글쓰기를 해보고 독도에 관련된 만들기 활동을 하고난 뒤 이를 친구들에게 발표할 수 있다.
	관련 교과	● (국어)독도는 우리땅에 대한 간단한 글쓰기 활동과 독도의용수비대의 이야기에 대한 생각과 느낌 표현활동을 통하여 독도에 대한 자신의 생각을 표현할 수 있다. ● (즐거운생활)독도에서 가족들과 함께 살고 싶은 우리집을 다양한 재료로 만들 수 있다. ● (바른생활)독도에 살고 싶은 가족의 형태와 문화가 다양함을 알고 존중한다.

프로젝트 학습 수업 설계도	**<국어>** • 우리땅 독도 글쓰기 • 독도의용수비대에 대한 글쓰기 **독도 소개하기** **<즐거운생활>** • 다양한 집 형태 알아보기 • 독도에 살고 싶은 집 만들기 **<바른생활>** • 다양한 형태의 가족과 집이 있음을 알고 존중하기

2학년 독도 주제중심
프로젝트 학습 계획서 (3차)

독도 주제중심 프로젝트 학습 개요

독도 주제	독도 교육 영역			과목 배당			
	국토 이해	독도 이해	독도 사랑	국어	즐거운생활	바른생활	계
세계 속의 독도	○	○	○	4	2	1	7

주제 선정이유	독도수호의 의지를 담아 세계 속의 대한민국 독도를 알리는 가장 효과적인 방법은 학생들이 독도에 대해 관심을 갖고 자신이 생각한 독도의 모습대로 그리고 정리하고 만들기 등을 하여 홍보하는 캐릭터를 만들고 이를 다른 학생들에게 발표하면서 독도에 대해 생각하는 시간을 많이 갖는 것이다. 이번 독도 주제중심 프로젝트 학습에서는 다양한 시각에서 독도와 관련된 홍보 글쓰기와 홍보그리기를 소개하는 자료를 제작하고 이를 공유함으로써 학생들의 독도 이해를 신장시키고 독도를 세계에 알리고 독도사랑의 의지를 다지고자 한다.

선정 주제에 따른 성취기준 분석

국어	쓰기	[2국03-02] 자신의 생각을 문장으로 표현한다.
	읽기	[2국02-03] 글을 읽고 주요 내용을 확인한다.
	듣기·말하기	[2국01-06] 바르고 고운 말을 사용하여 말하는 태도를 지닌다.
즐거운생활	표현하기	[2즐07-03] 다른 나라의 문화를 나타내는 작품을 전시·공연하고 감상한다.
바른생활	체험	[2바07-02] 다른 나라의 문화를 존중하고 공감하는 태도를 기른다.

교수·학습 설계

주제 목표	총괄	세계 속의 독도를 알리기 위해 독도에 대하여 글로 쓰고 그림으로 나타낸 것을 바른 태도로 발표 및 경청할 수 있다.
	관련 교과	● (국어) 독도의 탄생에 관한 간단한 글쓰기 활동과 고지도에 나타난 우리땅 독도의 이야기에 대한 생각과 느낌 표현활동을 통하여 독도에 대한 자신의 생각을 표현할 수 있다. ● (즐거운생활) 전통옷에 독도캐릭터를 다양한 방식으로 그릴 수 있다. ● (바른생활) 다른 나라의 문화가 다양함을 알고 존중한다.

프로젝트 학습
수업 설계도

<국어>
• 독도의 탄생 글쓰기
• 고지도에 나타난 우리 땅 독도의
 중심내용 찾기

세계 속의 독도

<즐거운생활>
• 다른 나라의 문화 알아보기
• 독도 사랑 캐릭터 그리기

<바른생활>
• 다른 나라의 문화를 존중하고
 공감하는 태도 기르기

3학년 독도 주제중심
프로젝트 학습 계획서 (1차)

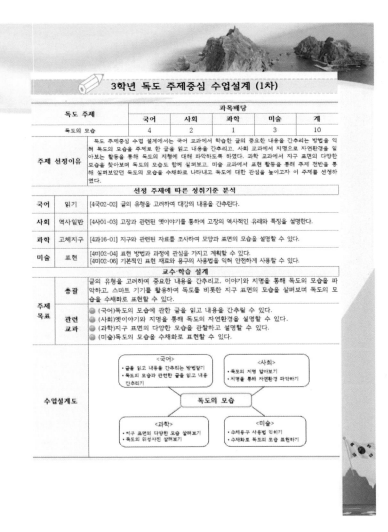

3학년 독도 주제중심 수업설계 (1차)

독도 주제	과목배당				
	국어	사회	과학	미술	계
독도의 모습	4	2	1	3	10

주제 선정이유	독도 주제중심 수업 설계에서는 국어 교과에서 학습한 글의 중요한 내용을 간추리는 방법을 익혀 독도의 모습을 주제로 한 글을 읽고 내용을 간추리고, 사회 교과에서 지명으로 자연환경을 알아보는 활동을 통해 독도의 지형에 대해 파악하도록 하였다. 과학 교과에서 지구 표면의 다양한 모습을 찾아보며 독도의 모습도 함께 살펴보고, 미술 교과에서 표현 활동을 통해 주제 전반을 통해 살펴보았던 독도의 모습을 수채화로 나타내고 독도에 대한 관심을 높이고자 이 주제를 선정하였다.

선정 주제에 따른 성취기준 분석

국어	읽기	[4국02-02] 글의 유형을 고려하여 대강의 내용을 간추린다.
사회	역사일반	[4사01-03] 고장과 관련된 옛이야기를 통하여 고장의 역사적인 유래와 특징을 설명한다.
과학	고체지구	[4과16-01] 지구와 관련된 자료를 조사하여 모양과 표면의 모습을 설명할 수 있다.
미술	표현	[4미02-04] 표현 방법과 과정에 관심을 가지고 계획할 수 있다. [4미02-06] 기본적인 표현 재료와 용구의 사용법을 익혀 안전하게 사용할 수 있다.

교수·학습 설계

주제 목표	총괄	글의 유형을 고려하여 중요한 내용을 간추리고, 이야기와 지명을 통해 독도의 모습을 파악하고, 스마트 기기를 활용하여 독도를 비롯한 지구 표면의 모습을 살펴보며 독도의 모습을 수채화로 표현할 수 있다.
	관련 교과	● (국어)독도의 모습에 관한 글을 읽고 내용을 간추릴 수 있다. ● (사회)옛이야기와 지명을 통해 독도의 자연환경을 설명할 수 있다. ● (과학)지구 표면의 다양한 모습을 관찰하고 설명할 수 있다. ● (미술)독도의 모습을 수채화로 표현할 수 있다.

수업설계도	<국어> ·글을 읽고 내용을 간추리는 방법알기 ·독도의 모습과 관련한 글을 읽고 내용 간추리기	<사회> ·독도의 지명 알아보기 ·지명을 통해 자연환경 파악하기
	독도의 모습	
	<과학> ·지구 표면의 다양한 모습 살펴보기 ·독도의 위성사진 살펴보기	<미술> ·수채물감 사용법 익히기 ·수채화로 독도의 모습 표현하기

3학년 독도 주제중심
프로젝트 학습 계획서 (2차)

독도 주제중심 프로젝트 학습 개요

독도 주제	독도 교육 영역			과목 배당				
	국토 이해	독도 이해	독도 사랑	사회	국어	과학	미술	계
독도 홍보 광고지 만들기	○		○	4	2	2	2	10

주제 선정이유	울진에 있는 울릉읍 독도와 관련된 문화유산이 밀기에 이에 대해 탐구할 기회를 갖고자 합니다. 사회 교과에서 독도의 지형을 사진, 그림 등을 통해 지도하고, 국어 교과에서는 문학과 연계하여 독도의 바위들과 관련된 이야기를 읽고 재미나 감동을 느낀 부분을 찾을 수 있도록 지도합니다. 또한 과학 교과에서 물질과 관련하여 가스 하이드레트를 배우고 다양한 물질의 종류를 접할 수 있도록 합니다. 마지막으로 미술 교과와 연계하여 독도를 소개하는 광고지를 그려봄으로써 독도에 대한 자부심을 느끼고자 합니다.

선정 주제에 따른 성취기준 분석

사회	역사	[4사01-04] 고장에 전해 내려오는 대표적인 문화유산을 살펴보고 고장에 대한 자긍심을 기른다.
국어	문학	[4국05-04] 작품을 듣거나 읽거나 보고 떠오른 느낌과 생각을 다양하게 표현한다.
과학	물질	[4과01-02] 크기와 모양은 같지만 서로 다른 물질로 이루어진 물체들을 관찰하여 물질의 여러 가지 성질을 비교할 수 있다.
미술	체험	[4미01-02] 주변 대상을 탐색하여 자신의 느낌과 생각을 다양한 방법으로 나타낼 수 있다.

교수·학습 설계

주제 목표	총괄	독도의 다양한 지형, 가스 하이드레이트 그리고 고장 내 독도 관련 유산을 살펴보고, 독도의 바위와 관련된 이야기를 듣고 느낀 점을 발표하며 독도에 대해 배운 내용을 독도 홍보 광고지로 나타낼 수 있다.
	관련 교과	● (사회) 독도의 지형과 고장 내 독도 관련 유산을 알아보고 특징을 이야기 할 수 있다. ● (국어) 독도 주변 바위와 관련된 이야기를 읽고 재미나 감동을 느낀 부분을 찾아 이야기 할 수 있다. ● (과학) 가스 하이드레이트의 성질을 알아보고 우리생활에 어떻게 이용될 수 있는지 설명할 수 있다. ● (미술) 독도에 대해 배운 내용을 바탕으로 독도 홍보 광고지를 만들 수 있다.

프로젝트 학습 수업 설계도

< 사회 >
· 동영상 사진을 통해 독도 지형살펴보기
· 고장에 전해 내려오는 문화 독도 관련 문화유산 살펴보기

< 국어 >
· 독도 주변 바위에 얽힌 이야기 읽기

독도 홍보 광고 만들기

< 과학 >
· 가스 하이드레이트의 특징을 알아보고 가치 알아보기

< 미술 >
· 배운 내용 상기하며 독도에 대해 탐구하기
· 독도를 홍보하는 광고지 만들기

4학년 독도 주제중심
프로젝트 학습 계획서 (1차)

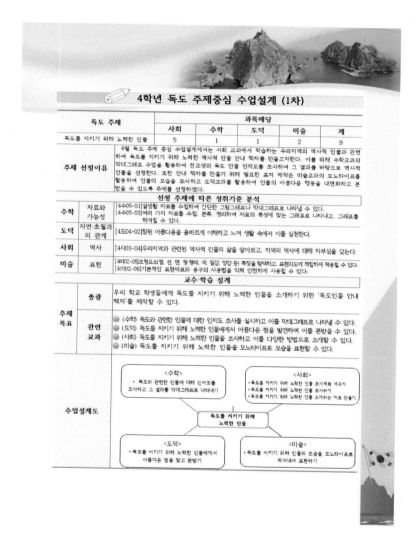

4학년 독도 주제중심 수업설계 (1차)

독도 주제	과목배당				
	사회	수학	도덕	미술	계
독도를 지키기 위해 노력한 인물	5	1	1	2	9

주제 선정이유	6월 독도 주제 중심 수업설계에서는 사회 교과에서 학습하는 우리지역의 역사적 인물과 관련하여 독도를 지키기 위해 노력한 역사적 인물 안내 책자를 만들고자한다. 이를 위해 수학교과의 막대그래프 수업을 활용하여 전교생의 독도 인물 인지도를 조사하여 그 결과를 바탕으로 역사적 인물을 선정한다. 또한 안내 책자를 만들기 위해 필요한 표지 제작은 미술교과의 모노타이프를 활용하여 인물의 모습을 묘사하고 도덕교과를 활용하여 인물의 아름다운 행동을 내면화하고 본받을 수 있도록 주제를 선정하였다.

선정 주제에 따른 성취기준 분석

수학	자료와 가능성	[4수05-01]실생활 자료를 수집하여 간단한 그림그래프나 막대그래프로 나타낼 수 있다. [4수05-03]여러 가지 자료를 수집, 분류, 정리하여 자료의 특성에 맞는 그래프로 나타내고, 그래프를 해석할 수 있다.
도덕	자연·초월과의 관계	[4도04-02]참된 아름다움을 올바르게 이해하고 느껴 생활 속에서 이를 실천한다.
사회	역사	[4사03-04]우리지역과 관련된 역사적 인물의 삶을 알아보고, 지역의 역사에 대해 자부심을 갖는다.
미술	표현	[4미02-05]조형요소(점, 선, 면, 형·형태, 색, 질감, 양감 등) 특징을 탐색하고, 표현의도에 적합하게 적용할 수 있다. [4미02-06]기본적인 표현재료와 용구의 사용법을 익혀 안전하게 사용할 수 있다.

교수·학습 설계

주제 목표	총괄	우리 학교 학생들에게 독도를 지키기 위해 노력한 인물을 소개하기 위한 '독도인물 안내 책자'를 제작할 수 있다.
	관련 교과	● (수학) 독도와 관련한 인물에 대한 인지도 조사를 실시하고 이를 막대그래프로 나타낼 수 있다. ● (도덕) 독도를 지키기 위해 노력한 인물에게서 아름다운 점을 발견하여 이를 본받을 수 있다. ● (사회) 독도를 지키기 위해 노력한 인물을 조사하고 이를 다양한 방법으로 소개할 수 있다. ● (미술) 독도를 지키기 위해 노력한 인물을 모노타이프로 모습을 표현할 수 있다.

수업설계도	

<수학>
· 독도와 관련한 인물에 대해 인지도를 조사하고 그 결과를 막대그래프로 나타내기

<사회>
· 독도를 지키기 위해 노력한 인물 조사계획 세우기
· 독도를 지키기 위해 노력한 인물 조사하기
· 독도를 지키기 위해 노력한 인물 소개하는 자료 만들기

독도를 지키기 위해 노력한 인물

<도덕>
· 독도를 지키기 위해 노력한 인물에게서 아름다운 점을 찾고 본받기

<미술>
· 독도를 지키기 위해 노력한 인물의 모습을 모노타이프로 찍어내어 표현하기

4학년 독도 주제중심
프로젝트 학습 계획서 (2차)

독도 주제중심 프로젝트 학습 개요

독도 주제	독도 교육 영역			과목 배당				
	국토 이해	독도 이해	독도 사랑	국어	사회	음악	미술	계
독도 소개 뮤직비디오 만들기	○	○	○	4	3	2	2	11

주제 선정이유	이번 독도 주제중심 프로젝트 학습에서는 국어 교과에서 학습한 사실과 의견을 구분하는 활동을 통해 화산섬의 생성원인을 이해하고, 사회 교과에서는 독도의용수비대, 독도경비대 및 독도 주민들에 대해 읽고 업적과 역할을 이해할 수 있도록 구성하였습니다. 또한 국어교과에서 독도의 가치를 독도를 지키기 위해 노력한 인물의 마음을 통해 일아볼 수 있으며 이렇게 배운 내용을 음악교과를 활용하는데 'LAVA'라는 애니메이션 노래 가사를 바꾸고 직접 그린 독도 사진을 넣어 부르면서 독도를 소개하는 뮤직 비디오를 완성하여 독도를 사랑하는 마음을 가질 수 있도록 해 이 주제를 선정하였습니다.

선정 주제에 따른 성취기준 분석

국어	읽기/문학	[4국02-04] 글을 읽고 사실과 의견을 구별한다. [4국02-05] 읽기 경험과 느낌을 다른 사람과 나누는 태도를 지닌다. [4국05-04] 작품을 듣거나 읽거나 보고 떠오른 느낌과 생각을 다양하게 표현한다.
사회	역사	[4사03-04] 우리 지역과 관련된 역사적 인물의 삶을 알아보고, 지역의 역사에 대해 자부심을 갖는다.
음악	표현	[4음01-03] 제재곡의 노랫말을 바꾸거나 노랫말에 맞는 말붙임새로 만든다. [4음01-06] 바른 자세로 노래 부르거나 바른자세와 주법으로 악기를 연주한다.
미술	표현	[4미02-03] 연상, 상상하거나 대상을 관찰하여 주제를 탐색할 수 있다.

교수·학습 설계

주제 목표	총괄	독도의 생성원인과 독도를 지킨 인물, 독도의 가치 등 독도에 대해 공부를 하고, 이에 알맞게 노래를 개사하고 독도 그림을 그리며 바꾼 가사로 노래를 불러 독도 소개 뮤직비디오를 만들 수 있다.
	관련 교과	● (국어) 화산섬의 생성원인에 대한 글을 사실과 의견을 나누어 보고 독도의 가치를 독도를 지키기 위해 노력한 인물의 마음을 통해 이해할 수 있다. ● (사회) 독도를 지키기 위해 노력한 인물의 삶을 알아보고 자부심을 가질 수 있다. ● (음악) 독도에 대해 배운 내용을 바탕으로 노랫말을 바꾸고 바른 자세로 노래를 부를 수 있다. ● (미술) 독도에 대해 배운 내용을 바탕으로 독도를 상상하거나 관찰하여 독도 그림을 그릴 수 있다.

프로젝트 학습 수업 설계도	<국어> • 사실과 의견 구별하기 • 화산섬 생성원인에 대해 이해하기 • 인물의 마음을 통해 독도의 가치 알기 / <음악> • 독도를 소개하는 노랫말로 바꾸기 • 바른 자세로 노래 부르기 / 독도 소개 뮤직비디오 만들기 / <사회> • 독도를 지키기 위해 노력한 인물 알기 • 독도에 대한 자부심 가지기 / < 미술> • 독도를 연상, 상상하거나 관찰하기 • 독도 그림 그리기

4학년 독도 주제중심
프로젝트 학습 계획서 (3차)

독도 주제중심 프로젝트 학습 개요

독도 주제	독도 교육 영역			과목 배당				
	국토 이해	독도 이해	독도 사랑	수학	국어	도덕	미술	계
독도 영웅이 된 나의 모습		○	○	1	3	3	2	9

주제 선정이유	독도를 지키기 위해 노력한 인물들에 대해 공부하고 학생들 또한 독도를 지키는 영웅이 될 수 있음을 인식하기 위해 이 주제를 선정하였다. 독도를 지키기 위해 노력한 인물들의 마음가짐을 본받고 이를 실생활 속에서 실천해봄으로써 독도를 지켜야하는 이유를 알도록 한다. 나아가 독도를 지키는 영웅이 된 자신의 미래 모습을 상상하고 이를 콜라주로 표현함으로써 독도를 사랑하는 마음을 키우고자 한다.

선정 주제에 따른 성취기준 분석

수학	자료와 가능성	[4수05-02] 연속적인 변량에 대한 자료를 수집하여 꺾은선 그래프로 나타낼 수 있다. [4수05-03] 여러 가지 자료를 수집, 분류, 정리하여 자료의 특성에 맞는 그래프로 나타내고, 그래프를 해석할 수 있다.
국어	문학	[4국05-04] 작품을 듣거나 읽거나 보고 떠오른 느낌과 생각을 다양하게 표현한다.
도덕	자연·초월과의 관계	[4도04-01] 생명의 소중함을 이해하고 인간 생명과 환경 문제에 관심을 가지며 인간 생명과 자연을 보호하려는 태도를 가진다.
미술	표현	[4미02-02] 주제를 자유롭게 떠올릴 수 있다. [4미02-03] 연상, 상상하거나 대상을 관찰하여 주제를 탐색할 수 있다.

교수·학습 설계

주제 목표	총괄	독도 영웅들처럼 독도를 지키기 위한 다양한 방법을 실천해보고 독도 영웅이 된 자신의 모습을 표현하고 발표할 수 있다.
	관련 교과	● (수학) 독도 영웅에 대한 자료를 수집하고 이를 꺾은선그래프로 나타낼 수 있다 ● (국어) 본받고 싶은 인물을 소개하고 본받을 점을 생각하며 전기문을 읽을 수 있다 ● (도덕) 독도를 지키기 위해 자신이 실천할 수 있는 일을 찾아 계획하고 과제를 해결하며 활동을 정리할 수 있다 ● (미술) 독도 영웅이 된 자신의 모습을 콜라주로 표현할 수 있다

프로젝트 학습 수업 설계도	

<국어>
• 본받고 싶은 독도 영웅 소개하기
• 독도 영웅들의 본받을 점 생각하며 전기문 읽기

<수학>
• 꺾은선 그래프 알기
• 독도 영웅에 대한 관심도 그래프로 제작하기

독도영웅이 된 나의 모습

<도덕>
• 독도를 지키기 위해 실천할 수 있는 일 찾아 계획 세우기
• 독도를 지키기 위해 계획한 일 실천하기
• 독도를 지키기 위해 실천한 일 정리하기

<미술>
• 독도 영웅이 된 나의 모습 콜라주로 표현하기

5학년 독도 주제중심
프로젝트 학습 계획서 (1차)

5학년 독도 주제중심 수업설계 (1차)

독도 주제	과목배당			
	국어	미술	음악	계
독도 안내장 만들기	6	2	1	9

주제 선정이유	6월 독도 주제 중심 수업설계에서는 지난 5월 21일부터 5월 23일 5~6학년 학생들이 울릉도 독도체험학습을 다녀온 것을 활용하여 국어 교과에서 학습한 기행문의 특성을 파악하고 여정, 견문, 감상문이 드러나게 감상문을 쓰며, 음악 교과에서 독도는 우리 땅 노래를 부르고 미술 교과에서 이에 독도를 알리는 안내장 표지를 예쁘게 디자인해서 만들어 봄으로 독도를 사랑하고 독도를 수호하는 정신을 지키고 안내장을 만들어 홍보를 하고자 이 주제를 선정하였다.

선정 주제에 따른 성취기준 분석		
국어	문학	[6국03-05] 체험한 일에 대한 감상이 드러나게 글을 쓴다. [6국01-04] 자료를 정리하여 말할 내용을 체계적으로 구성한다. [6국03-01] 쓰기는 절차에 따라 의미를 구성하고 표현하는 과정임을 이해하고 글을 쓴다.
미술	체험	[6미01-02] 대상이나 현상에서 시각적 특징을 발견할 수 있다.
음악	표현	[6음01-01] 악곡의 특징을 이해하며 노래 부르거나 악기로 연주한다.

교수·학습 설계		
주제 목표	총괄	기행문의 특징을 살려 독도 안내장 내용을 정리하여 쓰고, 독도 노래를 부르며 독도 홍보하는 내용에 맞는 안내장을 예쁘게 만들도록 한다.
	관련 교과	● (국어)기행문의 특징을 살려 독도 안내장 내용을 쓸 수 있다. ● (미술)독도 안내장에 어울리는 표지를 그릴 수 있다. ● (음악)독도에 관련 노래를 부를 수 있다.

수업설계도
〈국어〉 • 기행문의 특성 살펴보기 • 여정, 견문 감상이 드러나게 기행문 쓰기 • 독도 안내장 만들기 **독도 안내장 만들기** **〈미술〉** • 독도 안내장 어울리게 디자인하기 • 독도 안내장 전시 **〈음악〉** • 독도와 관련된 노래 부르기

5학년 독도 주제중심
프로젝트 학습 계획서 (2차)

독도 주제중심 프로젝트 학습 개요

독도 주제	독도 교육 영역			과목 배당			
	국토 이해	독도 이해	독도 사랑	국어	사회	미술	계
독도 홍보하기	○	○		3	4	2	9

주제 선정이유	독도 주제중심 프로젝트 학습에서는 독도를 알리는 가장 효과적인 방법이 무엇이 있는지 토의 절차를 지키며 학생들의 다양한 의견 속에서 독도 홍보 방법을 찾아서 제작하여 홍보하려고 한다.

선정 주제에 따른 성취기준 분석

국어	듣기·말하기	[6국01-02] 의견을 제시하고 함께 조정하며 토의한다.
	쓰기	[6국03-06] 독자를 존중하고 배려하며 글을 쓰는 태도를 지닌다.
사회	자연환경과 인간생활	[6사01-03] 우리나라의 기후 환경 및 지형 환경에서 나타나는 특성을 탐구한다.
미술	표현	[6미02-02] 다양한 발상 방법으로 아이디어를 발전시킬 수 있다.

교수·학습 설계

주제 목표	총괄	독도 홍보를 위해 의견을 나눌 수 있다.
	관련 교과	● (국어)독도 홍보를 위해서 의견을 나눌 수 있다. ● (사회)독도에 대한 기후와 자연환경에 대하여 알아본다. ● (미술)독도 홍보를 위해서 다양한 방법으로 효과적으로 꾸밀 수 있다.

프로젝트 학습 수업 설계도	

5학년 독도 주제중심
프로젝트 학습 계획서 (3차)

독도 주제중심 프로젝트 학습 개요

독도 주제	독도 교육 영역			과목 배당			
	국토 이해	독도 이해	독도 사랑	국어	사회	미술	계
독도 인물 소개하기		○	○	2	5	2	9

주제 선정이유	독도 주제중심 프로젝트 학습에서는 알리고 싶은 독도에 관련된 인물을 여러 매체를 활용하여 조사한 뒤 조사한 인물에 대하여 내용을 정리하여 친구들에게 소개하고 독도를 지킨 위인들에게서 본받을 점을 찾고자 한다.

선정 주제에 따른 성취기준 분석

국어	읽기	[6국02-05] 매체에 따른 다양한 읽기 방법을 이해하고 적절하게 적용하며 읽는다.
	문학	[6국05-02] 작품 속 세계와 현실 세계를 비교하며 작품을 감상한다.
	듣기·말하기	[6국01-01] 구어 의사소통의 특성을 바탕으로 하며 듣기·말하기 활동을 한다.
사회	역사	[6사04-03] 일제의 침략에 맞서 나라를 지키고자 노력한 인물(명성 황후, 안중근, 신돌석 등)의 활동에 대해 조사한다.
		[6사04-04] 광복을 위하여 힘쓴 인물(이회영, 김구, 유관순, 신채호 등)의 활동을 파악하고, 나라를 되찾기 위한 노력을 소중히 여기는 태도를 기른다.
미술	표현	[6미02-05] 다양한 표현 방법의 특징과 과정을 탐색하며 활용할 수 있다.

교수·학습 설계

주제 목표	총괄	알리고 싶은 독도 인물을 소개할 수 있다.
	관련 교과	● (국어) 알리고 싶은 인물을 소개할 수 있다. ● (사회) 나라를 지키고자 노력한 인물 조사하고 본받을 점을 찾아본다. ● (미술) 독도를 지킨 인물에 대하여 캐릭터를 그릴 수 있다.

프로젝트 학습 수업 설계도	

6학년 독도 주제중심
프로젝트 학습 계획서 (1차)

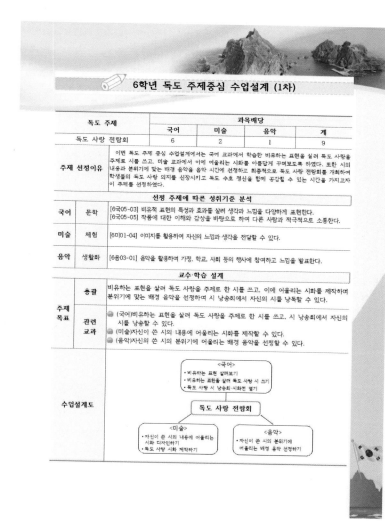

6학년 독도 주제중심 수업설계 (1차)

독도 주제	과목배당			
	국어	미술	음악	계
독도 사랑 전람회	6	2	1	9

주제 선정이유	이번 독도 주제 중심 수업설계에서는 국어 교과에서 학습한 비유하는 표현을 살려 독도 사랑을 주제로 시를 쓰고, 미술 교과에서 이에 어울리는 시화를 아름답게 꾸며보도록 하였다. 또한 시의 내용과 분위기에 맞는 배경 음악을 음악 시간에 선정하고 최종적으로 독도 사랑 전람회를 개최하여 학생들의 독도 사랑 의지를 신장시키고 독도 수호 정신을 함께 공감할 수 있는 시간을 가지고자 이 주제를 선정하였다.

선정 주제에 따른 성취기준 분석		
국어	문학	[6국05-03] 비유적 표현의 특성과 효과를 살려 생각과 느낌을 다양하게 표현한다. [6국05-05] 작품에 대한 이해와 감상을 바탕으로 하여 다른 사람과 적극적으로 소통한다.
미술	체험	[6미01-04] 이미지를 활용하여 자신의 느낌과 생각을 전달할 수 있다.
음악	생활화	[6음03-01] 음악을 활용하여 가정, 학교, 사회 등의 행사에 참여하고 느낌을 발표한다.

교수·학습 설계		
주제 목표	총괄	비유하는 표현을 살려 독도 사랑을 주제로 한 시를 쓰고, 이에 어울리는 시화를 제작하며 분위기에 맞는 배경 음악을 선정하여 시 낭송회에서 자신의 시를 낭독할 수 있다.
	관련 교과	● (국어)비유하는 표현을 살려 독도 사랑을 주제로 한 시를 쓰고, 시 낭송회에서 자신의 시를 낭송할 수 있다. ● (미술)자신이 쓴 시의 내용에 어울리는 시화를 제작할 수 있다. ● (음악)자신의 쓴 시의 분위기에 어울리는 배경 음악을 선정할 수 있다.

수업설계도

<국어>
• 비유하는 표현 살펴보기
• 비유하는 표현을 살려 독도 사랑 시 쓰기
• 독도 사랑 시 낭송회·시화전 열기

독도 사랑 전람회

<미술>
• 자신이 쓴 시의 내용에 어울리는 시화 디자인하기
• 독도 사랑 시화 제작하기

<음악>
• 자신이 쓴 시의 분위기에 어울리는 배경 음악 선정하기

6학년 독도 주제중심
프로젝트 학습 계획서 (2차)

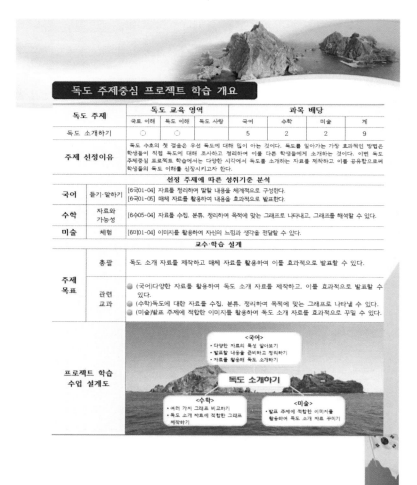

독도 주제중심 프로젝트 학습 개요

독도 주제	독도 교육 영역			과목 배당			
	국토 이해	독도 이해	독도 사랑	국어	수학	미술	계
독도 소개하기	○	○		5	2	2	9

주제 선정이유	독도 수호의 첫 걸음은 우선 독도에 대해 많이 아는 것이다. 독도를 알아가는 가장 효과적인 방법은 학생들이 직접 독도에 대해 조사하고 정리하여 이를 다른 학생들에게 소개하는 것이다. 이번 독도 주제중심 프로젝트 학습에서는 다양한 시각에서 독도를 소개하는 자료를 제작하고 이를 공유함으로써 학생들의 독도 이해를 신장시키고자 한다.

선정 주제에 따른 성취기준 분석

국어	듣기·말하기	[6국01-04] 자료를 정리하여 말할 내용을 체계적으로 구성한다. [6국01-05] 매체 자료를 활용하여 내용을 효과적으로 발표한다.
수학	자료와 가능성	[6수05-04] 자료를 수집, 분류, 정리하여 목적에 맞는 그래프로 나타내고, 그래프를 해석할 수 있다.
미술	체험	[6미01-04] 이미지를 활용하여 자신의 느낌과 생각을 전달할 수 있다.

교수·학습 설계

주제 목표	총괄	독도 소개 자료를 제작하고 매체 자료를 활용하여 이를 효과적으로 발표할 수 있다.
	관련 교과	● (국어)다양한 자료를 활용하여 독도 소개 자료를 제작하고, 이를 효과적으로 발표할 수 있다. ● (수학)독도에 대한 자료를 수집, 분류, 정리하여 목적에 맞는 그래프로 나타낼 수 있다. ● (미술)발표 주제에 적합한 이미지를 활용하여 독도 소개 자료를 효과적으로 꾸밀 수 있다.

프로젝트 학습 수업 설계도

<국어>
- 다양한 자료의 특성 알아보기
- 발표할 내용을 준비하고 정리하기
- 자료를 활용해 독도 소개하기

독도 소개하기

<수학>
- 여러 가지 그래프 비교하기
- 독도 소개 자료에 적합한 그래프 제작하기

<미술>
- 발표 주제에 적합한 이미지를 활용하여 독도 소개 자료 꾸미기

3. 창의적체험학습 학년별 10차시 지도 예시 자료안 참고 자료

학년	탑재 위치	QR코드	탑재 위치

도서명 초등학교 교사가 알려주는 독도교육의 이론과 실제

발　행 | 2024년 5월 15일
저　자 | 강신훈
펴낸이 | 한건희
펴낸곳 | 주식회사 부크크
출판사등록 | 2014.07.15.(제2014-16호)
주　소 | 서울 금천구 가산디지털1로 119, SK트윈타워 A동 305호
전　화 | 1670 - 8316
이메일 | info@bookk.co.kr

ISBN | 979-11-410-8469-1

www.bookk.co.kr
ⓒ 강신훈　2024

대한민국의 아름다운 우리의 땅, 독도

Dokdo is Korean territory